ファンタジーを
ほとんど知らない
女子高生による
3
異世界転移生活
コウ
Illustration shimano

佐藤美咲
小川浩二

鈴木 茜
アンナ
？？？
広瀬明彦

マリア
エリー

ファンタジーをほとんど知らない女子高生による異世界転移生活 3

コウ
Illustration　shimano

新紀元社

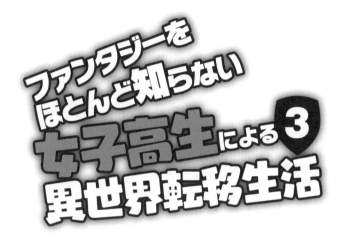

目次

Character

佐藤美咲《さとう みさき》

16歳。異世界に突然転移してしまったSF好きな女子高生。買ったことのあるものを呼び出せる能力と膨大な魔力を活かして、傭兵と食堂の主人というW生活を送っている。

鈴木 茜《すずき あかね》

14歳。美咲より前に異世界に転移していた中学生。商才があり、すでに大金を稼いでいる。

フェル

18歳。美咲と仲のいいエルフ。広場で魔道具の店を営むほか傭兵としても活動している。

広瀬明彦《ひろせ あきひこ》

23歳。美咲より前に異世界に転移していた大学生。仕官し、対魔物部隊で活躍中。

小川浩二《おがわ こうじ》

25歳。美咲より前に異世界に転移していた社会人。魔法協会で研究員を務める。

Story

魔法が普通に使われている“ファンタジー”な世界に転移した女子高生の美咲は、最初に辿り着いた町で暮らすことを決意。自分で買ったものなら呼び出せる能力を利用して食堂を開店し、膨大な魔力を“武器”に傭兵としても頭角を現す。自分と同じように突然転移してきたという茜、小川、広瀬とも知り合い、賑やかだが落ち着いた日々を送れると思ったのだが……!?

一章　復活祭

アルバート王子による選定の結果、美咲が春告の巫女と定まった。

王都の神殿から迎えに来たシスターマルセラに連れられて、美咲はいま、王都に向かう馬車に乗っていた。

いまだに春告の巫女の詳細は不明なままだったが、女神様が実在する世界である以上、神託で選ばれたことにはなんらかの意味があるのだろうと、美咲は半ば諦めに近い心境である。

王都への短い道行きには、茜と王都に行ったときの気楽さはなく、美咲にとって息が詰まるものだった。

休憩のときも食事のときも、マルセラは美咲に対しては下にも置かない扱いで、なにをするのもミサキ様、ミサキ様と立ててくる。それは単なる女子高生に過ぎない美咲にとって、本当に落ち着かないものだった。

美咲は、自分は平民なのだからそんな扱いは勘弁してほしいと言ってもみたのだが、マルセラは微笑みを浮かべながら、それはできませんと言い切った。理由を聞くと、神殿長から指示が出ているとのことで、マルセラの一存では如何ともしがたいのだそうだ。

そう言われてしまうと、美咲がここでなにを言ってもマルセラを困らせることになってしまう。

美咲は大きな溜息をつくと、大人しく賓客扱いを受け入れるのだった。

馬車が王都に到着したのは、だいぶ日が傾いてからのことだった。

暦の上ではもうすぐ春だが、積雪の影響で馬車の速度があまり出なかったのだ。


王都の門では、先行していた幌馬車だけが門番に止められて確認された。

美咲の乗る箱馬車は、美咲が窓から顔を覗かせただけで確認完了だった。

門番に、「ひとりで偉いね」と褒められた美咲は、自分はいったい何歳に見られているのだろうと複雑そうな表情を見せる。

「まあ、この世界の人からしたら、日本の高校生なんて子供にしか見えないんだろうけどさ」

人種の違いによるものだとわかっていても、釈然としないものを感じる美咲だった。

馬車は門を入ってからもしばらく走り続け、神殿がある王都の北区で停車した。

単なる停車なのか目的地に到着したからなのか判断がつかず、美咲が馬車の中で待っていると、馬車の扉が開いてマルセラが顔を覗かせた。

「ミサキ様、到着しました。本日はこれから巫女の装束を整えるために採寸をさせていただきます。そのあとお屋敷までお送りいたします。明日は午前中のうちにお迎えに参りますので、お屋敷でお待ちください」

美咲は馬車の扉から周囲を見回した。

すっかり暗くなってしまったので、はっきりは見えないが、前に見た神殿とはだいぶ雰囲気が違う建物があった。

黒くてごつくて窓の灯りが見えないそれは、まるで倉庫のようにも見えた。

「ここ、神殿ですか？」

「はい、裏手です。見えているのは宿舎と事務所ですから、表とはだいぶ雰囲気が違いますよね」

なるほど、と納得した美咲は、馬車から降りて大きく伸びをする。

長い時間、馬車に乗ったままだったので、体が固まりかけていて、肘の関節がピキリと音を立てた。

「んーっ……それで採寸はどこでするんですか？」

「こちらへ」

マルセラに文字通り手を引かれ、美咲は神殿裏手にある事務所の建物に入る。

石造りの事務所の中は、外から見た暗いイメージに反して、たくさんの灯りの魔道具が灯されており、とても明るかった。まだ雪が残る時期だからかすべての鎧戸が閉じられ、それで外に灯りが漏れていなかったのか、と美咲は納得した。

「こちらで少々お待ちください。いま衣装担当の者を呼んで参ります」

美咲を応接室に通したマルセラは、一礼すると廊下に消える。

「あ、はい」

部屋にはソファとローテーブルのセットが置かれ、部屋の片隅には衝立のようなものがある。そして壁には、とても古そうな写実的な風景画が飾られていた。

どれも華美ではなく、神様の御座所らしい落ち着いた雰囲気のものだった。

（そういえば、写真がプリントできるようになるまでの芸術は写実さを追い求めていて、写真をプリントできるようになったあとは、印象派とかピカソのキュビズムが生まれたって習ったような気がする）

ピンホールカメラの原理で壁に映した風景を絵の具でなぞるなど、プリント技術が発明されるまでの絵画はひたすらリアルさを追い求めていた。しかしプリント技術が発明されると、リアルさでは写真に勝てないため、その方向性が変化し、カメラでは写し取ることのできない世界を描くようになっていった。授業で習ったそんな話を思い出しながら美咲が絵画を眺めていると、マルセラが中年のシスターを連れて戻ってきた。

「ミサキ様、こちらが担当のシスター、コリーンです」

「あ、初めまして、美咲です」

マルセラよりはだいぶ年配のようなので、とりあえず美咲は丁寧にお辞儀をする。

「おやおや、これはまた可愛らしい巫女さんだこと。コリーンおばさんが服を縫ってあげるから、ちょっと脱いでサイズを測らせてちょうだいな」

「えっと、ここでですか？」

「そこに衝立があるでしょ。その向こうでいま着てる服を全部脱いでちょうだい」

コリーンは部屋の隅の衝立を指差した。

美術品のひとつだと思っていた衝立が実用品だったとわかり、美咲は目を丸くする。

「……脱げばいいんですよね？　それじゃ」

衝立の後ろに隠れるようにしてアタックザックを下ろし、ウエストポーチとマン・ゴーシュを外し、コート、ニット、ブラウスを脱ぐ。

ちょっと考えて、インナーのシャツとブラジャーはそのままに、靴とデニムパンツを脱ぐ。

「えっと、これでいいでしょうか？」

衝立の後ろに隠れたまま声をかけると、コリーンが覗いてくる。

「あらま、珍しい下着を着けてるね。うん、それで測れるから大丈夫だよ。それじゃ、まず手を横に伸ばして……うん。次は肩と……胸と……腰と……今度は手を下に下ろして……うんいいよ。はい、寒かったね。もう服を着てもいいからね」

コリーンの指示に従っているうちに採寸が終わる。

「もう終わりですか？」

「そうだね。あとはコリーンおばさんが服を縫って、仮縫いができたらもう一度調整だよ」

「それじゃよろしくお願いします」

「はいよ、小さいのに礼儀正しいねぇ」

美咲が服を着直している間にコリーンは退室していった。

服を身に着けて衝立の後ろから顔を覗かせると、マルセラが待っていた。

「それではお送りします。場所は平民街南区のリバーシ屋敷、スズキ様のお屋敷でよろしいでしょうか？　こちらで宿を手配することも可能ですが」

「あ、はい、リバーシ屋敷でお願いします……あの、なんならひとりでも帰れますけど？」

北区から南区までだから距離はあるが、乗合馬車に乗ればすぐだ。わざわざ送ってもらうほどのことでもないと美咲は遠慮したが、マルセラは綺麗な微笑みを浮かべて首を横に振った。

「いいえ、神殿長からミサキ様の送迎を仰せつかっておりますので。それにそろそろ乗合馬車もなくなる時間です」


神殿から馬車でリバーシ屋敷まで送ってもらった美咲は、前に来たときに顔見知りになったメイドに迎え入れられてリビングに通される。リビングでは、絨毯の上に置いたコタツで広瀬が背中を丸めていた。

「巫女に選ばれたんだって？　話はアルから聞いたよ。大変だったな……というかこれからか、大変なのは」

「そうですね。明日からお祈りの練習するそうです」

「ところで茜はどうしたんだ？　一緒に来なかったのか？」

ミカンの皮を剥きながら、広瀬が尋ねる。

ミカンが入った籠の横には、以前美咲が市場で買った黒猫のぬいぐるみも鎮座していた。

「茜ちゃんならミストの町で洗濯機の魔道具を開発中です。あとですね、カイロの魔道具を茜ちゃんが作ったんですよ」

「ああ、アルが自慢してたよ。ま、コタツには敵わないと思うけどな」

「コタツ、好きですねぇ」

「日本人なら冬はコタツだろ。あとは畳があればなぁ。美咲は呼べないよな？　畳。ゴザでもいいんだけど」

「無理言わないでください。女子高生がそんなの買ったことあるわけないじゃないですか」

「だよなぁ」

畳ってイグサで作るって聞いたことはあるけど、イグサってどんな草なんだ？　などと言いつつ広瀬は首を捻っている。

知りませんよ、と美咲はセバスチャンに入れてもらったお茶を飲むのだった。


翌朝、早めに朝食をとり、リビングのソファで読書をしていた美咲に、セバスチャンが来客を告げた。

「ミサキ様、神殿のマルセラ様がお迎えに来ております。応接室にお通ししますか？」

「あ、すぐに出ます……って、応接室に一度通したほうが礼儀に適ってますか？」

正しい作法がわからなかった美咲は、セバスチャンに聞いてみた。

「通常でしたらその通りでございますが、お急ぎのご様子でしたので」

「ん。それじゃ、すぐに出ます。準備もできてるし」

立ち上がり、横に置いたコートを羽織って、アタックザックを背負うと、美咲は玄関に向かった。

「おはようございます、マルセラさん」

「おはようございます、ミサキ様。道が混んでいて少し遅くなってしまい申し訳ございません」

「本を読んでいたので気にしないでください」

美咲とマルセラが馬車に乗り込むと、馭者《ぎょしゃ》が静かに馬車を発進させる。

「マルセラさん、今日はどういう予定ですか？」

「はい、まず祈りの内容を学んでいただきます。昼の休憩後は、祈りの作法を学んでいただくご予定です」

「お祈りの作法って難しいんですか？」

二礼二拍手一礼くらいしか知らない美咲は、恐る恐るそう尋ねた。

「簡単ですよ。決まった道順で神殿内を回って女神様の像の前まで歩き、あとは跪《ひざまず》いて手を合わせてお祈りするだけです」

「お祈りの言葉とかあるんですか？」

「はい。本番での祈りは本を黙読してもらいます。そのため、祈りの言葉だけでなく、祈りの意味を理解していただく必要がありますね」

馬車は前日同様、神殿の裏手に停車した。

そのままマルセラにエスコートされ、小部屋に通される。

「こちらで修道服に着替えていただきます。着替えた服や荷物はこの部屋にある籠の中に入れたままで大丈夫です。着方はわかりますか？」

マルセラは墨染めの服を美咲に手渡す。

服を受け取った美咲は、それを広げてみる。ひたすらに黒一色のワンピースだった。厚手の木綿でできているようだが、この季節だと少し寒そうだ。

「えーと、とりあえず着てみますね。これ一枚だと寒そうだし、中に服を着ていても構いませんよね？」

「はい、私たちも中に着込んでいますので問題はございません。それでも寒いようでしたら毛織りの外套《がいとう》もございます……ミサキ様の外套も色合いは黒に近いのでそれを羽織られても問題はないと思います。それでは扉の前でお待ちしていますので、着替え終わったらお声がけください」

マルセラが退出したのを確認した美咲は、衝立の後ろでアタックザックとウエストポーチ、マン・ゴーシュを外し、衝立の陰に置かれていた籠に入れる。そしてコートを脱ぐと、頭から修道服を被り、襟元に付いていたボタンを留めた。

この世界の修道服は、墨染めのワンピースである。頭にベールを被る習慣はないし、当然ながら十字架や数珠を持つ風習もない。

ガバッと被って襟元のボタンを留めれば完成なのだが、少々問題があった。

「うわ……ぶかぶか」

あちこち布が余っていた。

スレンダーな美咲が着ると、ウエスト付近は美咲がもうひとり入れそうなほどスカスカだった。

また、日本でも背が低かった美咲では、裾が地面に付いてしまう。

袖はまあ我慢できなくもない。最悪、捲れば済む話だ。ウエストが余っているのもベルトでも締めれば見た目は悪いが解決する。だが、裾が長すぎるのはいただけなかった。

「これは間違いなく引き摺る。そんでもって踏んで転ぶ……」

しばらくの間、どうしたものかと考えていた美咲は、ウエストポーチをベルト代わりにしてウエストの余った布をまとめつつ、裾丈を調整することにした。袖もかなり長いので、邪魔にならない程度に捲ってみる。

「うん、まあ、これならなんとか」

ウエストポーチが異彩を放っているが、石造りの神殿である。下手に転んだりしたら頭を打って昇天しかねない。死活問題なのだ。

「マルセラさん、できました」

扉を開けてマルセラを迎え入れる。

マルセラは美咲の全身を眺め、ウエストポーチに眉をひそめたものの、すぐに裾をたくし上げるためのものだと気付いたようで、裾周りに異常がないかを確認しはじめた。

「申し訳ありません、これが神殿にあった一番小さな修道服だったのですが、それでもまだ大きすぎたようですね」

「構いませんよ。お祈りの作法のお勉強をする分には、これで十分だと思いますし」

「……それでは、そこの椅子に腰かけて、こちらの本をお読みください」

薄い文庫本サイズの本を手渡される。

サイズは小さいが、革の装丁で、表紙には金の箔押しがされている。

ずっしりと重く、掌に吸い付くような手触りの本を片手に美咲は小首を傾げる。

「これは？」

「今回のために作られた、聖句を記した本です。聖句自体は三ページほどで、その後ろは聖句の意味が詳細に書かれています。本番ではこれを黙読していただきますが、あらかじめ意味を理解していただく必要があるのです」

「覚える必要はないんですね？」

「意味を理解し、聖句を間違えずに読めるようになるのが目標です。覚えていただいても問題はありませんが、本番では黙読していただきます」

暗記するのではないとわかり、美咲はほっと溜息をついた。

読書は好きだが、暗記はあまり得意ではないのだ。

「まずはこれを読んで、午後からはお祈りの作法でしたっけ？」

「はい、午後からは礼拝堂で祈りを捧げる際の動きを学んでいただきます」

「わかりました。それじゃ、まずは本を読んじゃいますね」

美咲はざっと本に目を通し、要旨を理解したところでもう一回聖句を読み返した。

聖句の内容は、堅苦しい言葉で女神の偉大さを称え、微睡祭《まどろみさい》からのユフィテリアの不在を悲しみ、復活祭での目覚めを寿《ことほ》ぎ、春の訪れに感謝し、一年の無事を祈念する、といったものだった。覚える必要がないとの話だったが、意味を理解してから読むと、すっと頭に入ってくる。

「意外と普通な内容なんですね」

「いままでになかった祭祀でしたので、春告の祭祀に相応しい聖句を聖典から拾い集めて作られているそうです」

力作と聞いています、とマルセラは綺麗な笑顔を見せた。


昼は大食堂でほかのシスターたちと同じ麦粥を食べ、食休みを挟んで、午後は礼拝堂で祈りを捧げる練習を行った。

復活祭最終日は、礼拝堂前の参道に祭壇が設けられる。本番では、美咲は祭壇横からひとりで礼拝堂に入り、礼拝堂内を決められた道順で歩いて女神像前で拝跪《はいき》するのだ。そのため、まずは実際に歩く道順を覚え、それを覚えたら拝跪の作法を学ぶことになった。

「真っ直ぐ女神像まで歩くだけかと思っていたんですけど、そうじゃないんですね」

「はい、この礼拝堂は世界を模したもので、各所に女神様の奇跡のあった場所が刻まれています。この礼拝堂を歩いて回るというのは巡礼を意味する行為なので、回る順序、立ち止まる場所にはそれぞれ意味があるのです」

「これは覚えるのが大変そうです」

礼拝堂各所に隠れるように佇む小さな石碑を、決められたルートで巡るのは、地味に疲れる作業だった。

美咲が何回目かの巡礼の練習をしていると、神殿の外から大きな音が響いてきた。

「なにがあったんですか?」

「わかりませんが……事故でもあったのかもしれませんね。手が必要かもしれませんから少し見てきます」

マルセラはそう言って神殿の外へと小走りに出ていった。

美咲がそのあとを追うと、神殿の前で乗合馬車が横転しているのが目に入った。

道には馬車の部品らしきものが散乱しており、倒れた馬がもがいているのが見えた。

「うわ、これは……」

この世界に来て、美咲が初めて遭遇した交通事故だった。

馬車は自動車と比べると速度は圧倒的に遅いが、強度も相応に弱い。

シートベルトなどあるはずもなく、横転すれば乗客は怪我を免れない。

思わず馬車に駆け寄る美咲の前で、通行人や神殿のシスターたちが救助活動を始めていた。

大半の人は打撲や擦り傷で済んでいるようだ。

しかし。

「誰か！　誰か娘を、アンジェを助けて！」

横転した馬車の木材が腹部に刺さった娘を抱えて泣き叫ぶ母親の悲痛な声が聞こえた。

まだ十歳くらいの女の子は、弱々しく母の手を握っているが、腹部からの出血が止まらない。

道路に広がっていく血溜まりと、顔色がどんどん白っぽくなっていく女の子を見て、美咲は思わず飛び出していた。

「……みんな、迷惑かけたらごめんね」

美咲はポーションを呼び出して中身を口に含むと、女性の前に膝をつき、アンジェと呼ばれた娘に口移しでポーションを飲ませた。

こくん、と娘の喉が動いたのを確認しながら腹部に刺さった木材を素早く抜き取り傷口の状態を確認する。

効果は覿面《てきめん》だった。

出血は止まり、木材を抜き取った腹部には、古傷の痕のような引《ひ》き攣《つ》れだけが残っていた。

「……おかあさん……」

「ああ、アンジェ！　ありがとうございます」

娘をかき抱くようにしながら、母親が美咲に感謝を伝える。

きつく抱きしめられた娘は少し苦しそうだった。

「流した血が戻るかはわかりません。しばらくは安静にしてくださいね」

「ミサキ様……いまのはいったい……」

恐る恐る、といった様子でマルセラが声をかけてくる。

美咲は、その場でそれっぽい言い訳を捻り出す。

「秘密ですよ、えーと……そう、魔法協会の小川さんが研究中の回復魔法のお薬です。たまたま一本だけ持ってたんです。この場に間に合ったのは女神様の奇跡ですね。巡礼する箇所がひとつ増えちゃいましたか？」

ポーションが入っていた小瓶を収納魔法でしまい、美咲は目立たないようにこそこそと神殿に向かう。だが、この状況でほとんどの者は母娘《おやこ》と美咲のことを注視していた。目立たないというのは無理な話だった。

「あ、ミサキ様、お待ちください。そのまま神殿に入っていただくわけには……」

神殿に戻ろうとした美咲は、マルセラに呼び止められた。

美咲の両手は血塗れだった。黒い色で目立ってはいないが、修道服の袖や裾のあたりもかなり血を吸っているような感触がある。

「今日はここまでにしましょう。お風呂に入られたほうがよさそうですね。洗いますから、その服は脱衣所の籠に入れておいてください」

「あ、はい」

「それにしても、不可能といわれた回復魔法を研究していらっしゃるとは、オガワさんと仰る方は凄い方なのですね」

「あー、えーと、その……まだ研究中らしいので、このことは内密にお願いしますね」

「承知しました。それでは、こちらでお風呂にお入りください。この時間ならお湯は張ってありますので」

神殿裏手にある宿舎に案内された美咲は、風呂場で体に付いた血を洗い流した。

そのまま風呂で温まった美咲は、丁重にリバーシ屋敷へと送り届けられた。

美咲は小川が帰ってくるのを待ち、神殿前で起きた事故のことを報告した。

「小川さんが研究中の回復魔法だって、咄嗟に言っちゃったんですけど」

「まあ、研究してるのは事実だから、僕の名前を出したことは構わないよ。ただ問題があってね。まだ回復魔法は再現できていないんだ」

「そうですか……」

「でも、目の前で子供が死にかけてたら、僕だってポーションを使っちゃうからね。気にしなくていいよ」

美咲には、ポーションの秘密を守るために、目の前で失われていく子供の命を見捨てるという選択肢はなかった。

それに最悪の場合でも、市場で見知らぬ女性から購入した薬が回復のポーションだった、という事実を述べればいいのだ。この世界には真偽を見定める魔道具がある。その魔道具で真実であると確認されれば、それ以上の追及はない。馬鹿正直に、それをさらに呼び出した、などと付け加えなければいい話だ。

「それより教えてほしいんだけど、その娘の傷は、痕が残ったんだね？」

「はい、飲ませ方が悪かったんでしょうか」

「いや、それはないと思うよ。僕の仮説だけど、あのポーションは昔研究されていた回復魔法と同じ、自然治癒を加速するものなんだ。自然治癒なら深い傷は、傷痕が残ることもあるだろ？」

◆ ✳ ◆

それから数日は何事もなく経過した。

美咲は毎日神殿に赴き、午前中は春告の巫女のために編纂《へんさん》された聖典を読み、午後は礼拝堂の巡礼コースを辿り、女神像の前で拝跪して祈りを捧げた。


事故の際の救助活動のことは噂になっているようだ。

修道服を着た女神様の色の小さなシスターが、死にかけた子供を救ったという話が広まっている。話の精度が高いことから、おそらくは救助活動に参加していた人か、もしかすると母親や、助かった子供本人の口から漏れ出た情報なのだろう。

マルセラ以外に対する口止めをしなかった美咲のミスである。

だが、治療を求めて神殿に押しかけてくるような礼儀知らずはいなかったので、美咲が噂を知ることはなかった。

その日までは。


「こちらに女神様の奇跡を体現されたシスターがいらっしゃるというのは真か？」

美咲が巡礼コースを巡っていると、神殿の入り口でそう問い質す女性の声が聞こえた。

見れば、金属の鎧を着けたままの騎士の出で立ちの女性が立っていた。

「ミサキ様は練習を続けてください」

「はい」

美咲の後ろで、作法に間違いがないかを確認していたマルセラが対応に出た。

「神殿で声を張り上げるものではありません。女神様の奇跡を体現とはどのようなことでしょうか」

「シスター、申し訳ない。我が部下が剣の鍛錬中に怪我をしたもので、急ぎ、まかり越したのだ。怪我を治すという奇跡を授けてはもらえないだろうか」

「怪我なら薬師のもとに行かれるがよいでしょう。奇跡は望んで得られるものではありません」

静かな声で、マルセラはそう答えた。

「……なんと……それでは奇跡の口付けは」

「残念ですが、そのようなものはここにはございません」

マルセラは嘘をつかず、奇跡について述べただけだが、鎧の女性は項垂れ帰っていった。

「回復魔法を望む人、ですか」

「奇跡を望む者は多いので、こうした対応はもともと月に一度はございます。女神様の奇跡は我々の自由にならないからこそ奇跡なのですが……さあ、あと一巡りしたら今日は終わりにしましょう」

「はい」


その日の晩、美咲はコタツで寛いでいる小川に尋ねた。

「小川さん、回復魔法の研究ってどうなってますか？」

「いきなりだね。進捗はほぼゼロだよ。前に美咲ちゃんが言ってた魔法の安全装置。あれは実際にありそうだってことはわかったんだけどね、そのせいで肝心の回復魔法のほうが全然進まないんだよね。ところで、どうして急に？」

美咲は、神殿であったことを話した。

「それで、回復魔法があればって思ったんですけど」

「じゃあ、少し相談に乗ってもらえるかな。僕ひとりでは行き詰まっているんだ」

小川は回復魔法の研究状況と、どこで詰まっているのかについて説明を始めた。

研究の初期段階に小川が行ったのは、検証が容易な部分の確認である。

いくつかの実験の結果、美咲が言っていた魔法の安全装置についてはほぼ裏付けがとれたという。

魔法協会では経験則として、近くに影響を与える魔法であっても、最大射程で用いたときと同程度の魔素を消費するという現象が知られていた。消費魔素量を数値化する方法が確立されていないため、あくまでも実験をした者の主観頼りではあるが、魔素が完全回復した状態から魔素が尽きるまで炎槍を放つ実験では、至近の的を狙った場合と、最大射程ギリギリに置かれた的を狙った場合とで、放てる炎槍の数に大きな違いはなく、距離は魔素消費に影響を与えないとされた。

従来の説では、それは必要魔素量は距離ではなく威力で決まるからだと説明されていた。

しかし小川の行った実験の結果、術者に近い場所に対する魔法は、その威力に関わりなく必要魔素量が増大することが判明した。

これを美咲が提唱した魔法の安全装置に起因するものと仮定した小川はさらに実験を続け、狙うべき的が術者本人に近いほど魔素消費が増大し、一定距離よりも近い部分に対する魔法は、魔素不足となり発動すらしなくなることを明らかにした。

術者が自分自身を的にした魔法が不発となる事象は昔から知られていたが、従来の説では、これは無意識の働きによるものといわれていた。しかし小川の実験結果はそれを否定した。

そして、魔法の安全装置があると仮定した場合、過去に魔法協会で行われてきた回復魔法の実験手法に問題があるだろうこともわかってきた。

記録によれば、かつて行われていた回復魔法の実験は、観察のため、手に持ったネズミを対象としていたのだ。

魔法の安全装置があるのであれば、これは術者本人に極めて近い位置への魔法であり、不発になってしかるべき実験方法だった。

魔法の安全装置があるという前提に基づき、小川は過去の研究レポートを読み返し、投射型の回復魔法を作ろうとした。

手元のネズミの回復ができないのなら、効果が出るくらい離れた場所から魔法をぶつければいいという単純な解決策である。

しかしその試みは失敗した。

一番の問題はイメージだった。

炎や氷といった、目に見える事象ではなく、回復するという現象をうまくイメージすることができなかったのだ。

魔法協会に残っていた古い研究資料には、女神の力で自然治癒を加速するという宗教的な言い回しが何回も登場していたため、前人の研究を尊重してそれを理解しようとした小川だったが、この世界の宗教に対する理解の差なのか、それが小川の頭の中で具体的なイメージとなることがなかった。

「まあ、そんなわけで行き詰まっちゃっててね」

小川の話を聞いた美咲は、なにかうまい方法はないものかと考えを巡らせてみた。

回復を加速させる魔法を飛ばすなどと聞くと、確かにイメージしづらい。美咲は、治すイメージと飛ばすイメージを分けて考えてみることにした。

「あの、小川さん。素人考えなんですけど、いっそ現代医学というか、医学もどきなイメージで魔法を構築できませんか？」

「どういうことだい？」

「あのですね、たとえばインフェルノやアブソリュート・ゼロって、思いっきり物理法則を魔法にしてるじゃないですか」

魔法のイメージと科学的なアプローチは、親和性が高いのではないかと美咲は推論を口にした。

「熱振動以外にもあるんです。言うの忘れてましたけど、レールガンを魔法に置き換えることにも成功したんです。思いっきり物理法則をイメージして」

美咲はレールガンのイメージを小川に説明した。

「レールガンっていうと、地球で実験されてたあれだよね」

「それです。それを魔法で実現したんですけど」

「それは凄いね。また新魔法だよ。というか新系統になるのかな？　あ、電撃魔法はあるからその派生かな。なんにしても魔法史に名前が残るね」

小川の賞賛の声に、しかし美咲はさほど嬉しそうな表情は見せなかった。

美咲にとって、魔法史に名前を残すということは、面倒事に関わるのと同義なのだ。

「それは置いといてですね。私はレールガンなんて概要しか知らないんですけど、それでも実現できたんですよ。こう、電気が通るレールを二本、魔素で構築して魔力励起《れいき》して、金属塊を間に置いて二本のレールに直流の大電力を流すイメージをしただけなんですけどね。本当なら、もっといろいろ考えないといけないことがあると思うんです」

「そうだろうね。そもそも電力がどうやって供給されているのかもわからない」

「大事なのは、そんないい加減なイメージでも実現できたってことです。複雑なところは魔法っていう、いわばＯＳに任せてみたら、うまくいくんじゃないかと思うんです」

魔法には安全装置がある。そこから美咲は、魔法の三原則のようなものを想像していた。

一．魔法は具現化することにより、術者に強い影響を加えてはならない。また魔法具現化の余波によって、術者に強い影響を及ぼしてはならない。

二．魔法は術者の指示に従って具現化しなければならない。ただし、術者の指示が一項に反する場合はこの限りではない。

三．具現化した魔法は、一、二項に反するおそれのない限り、周辺魔素を利用して存在を維持しなければならない。

魔法の三原則の元ネタは、アイザック・アシモフ氏によって書かれた有名な古典ＳＦに登場するロボット工学三原則である。この三原則はさまざまな作家が自作の中で用いており、美咲は後年に書かれた別の作品でこの三原則を知った。

作中で人間とロボットが共存するため、ロボットの本能として定義されたロボット工学三原則であるが、美咲は魔法についても類似の原則があるのではないかと考え、それを魔法の三原則と表現し、イメージを実現するための魔法のＯＳのような存在があると考えたのだ。

「つまり美咲ちゃんは、回復魔法もその三原則に対応させて、複雑な部分はＯＳ任せにすればいいって言ってるのかな？」

「そうです。回復魔法のイメージは、異物を排除して、組織を構成する細胞を増殖、修復させて、あとは血管類の修復、皮下脂肪、表皮細胞の修復っていう大雑把なイメージにしてみてはどうでしょう？」

「怪我が治るのを加速するっていう曖昧なイメージじゃなく、科学的に回復の過程をイメージするのか……美咲ちゃん面白いこと考えるね」

美咲が述べた回復の過程には過不足があるかもしれないが、魔法のＯＳの性能が高ければそのあたりはフォローされるかもしれない。それに、もともとのイメージはそれよりさらに曖昧な自然治癒の加速という代物なのだ。それと比べれば実現性がありそうだと、小川は美咲の発想力に感心した。

だが、まだ続きがあった。

「あと、もうひとつあるんですけど」

「聞こうか」

「このコタツですけど、温かいですよね？」

美咲の問いかけの意味がわからず、小川は素直に、コタツだからね、と返し、そこで気付いた。

「……ああ、なるほどそうか、そうだね。なんでコタツの熱を僕たちは感じられるんだろう。コタツという魔道具と僕たちはこんなに近くにいるのに。つまり魔道具は三原則の一項をなんらかの方法でキャンセルしているんだね？」

「ええ、多分キャンセルですね。コンロの魔道具でお肉を焼いたりできますしね」

手元のフライパンで肉が焼けるということは、そこに強い影響力が働いていることにほかならない。効果が失われているわけではないと美咲は言った。

「ところで、〝強い影響〟ってしたのにはなにか意味があるのかい？」

術者に効果を及ぼしてはならない、ではないのはなぜかと小川が尋ねると、美咲は少し自信なげに答えた。

「はい、たとえば炎槍は炎の槍が見えますよね。で、インフェルノも青い炎の槍が見えますけど、炎槍と眩しさはそれほど違っていなかったように感じたんですよ。なんというか、フィルタ越しに見ているみたく、目を保護されてる感じ、といいますか」

「なるほど。強烈な光が発生するインフェルノの炎を見ても眩しく感じなかったり、輻射熱で僕たちが焼け死ななかったのはそれが理由か。魔法のＯＳは思っていた以上に高性能みたいだね……うん、そうだね。実験してみる価値はある。明日、魔法協会に行ったら、新しい回復魔法を試してみるよ」

小川の言葉に、美咲は首を傾げた。

「今日は試さないんですか？」

広瀬さんみたく、指先をちょっと切れば実験できますよ、と言いたげな美咲に、小川は苦笑した。

「まずはマウス実験だね。自分の指で試して、癌化でもしたら堪らないし、そもそも自分を対象にした魔法は使えないからね」

「そうでした。考えようによっては危ない魔法ですもんね」

臨床試験の前にしっかり動物実験をしてください、と美咲は頷いた。


翌日、美咲が巫女の練習から帰宅すると、茜がミストの町からやってきていた。

美咲を見付けた茜は、パタパタと美咲に駆け寄る。

「美咲先輩、お帰りなさーい」

「茜ちゃん久しぶり、ってこらこら抱き着かないの」

「ごろごろー」

ハグしてくる茜を押し戻しながらも、美咲は嬉しそうだった。

「それで、茜ちゃんが来たってことは洗濯機は完成したの？」

「はい、魔道具本体部分の統一規格を考えるのに手間取りましたけど、最後の調整も終わって、これから量産開始ですよ。それと、カイロを二箱持ってきて、商業組合に卸してきました」

「売れるといいねぇ」

「王室御用達ですよ、その辺はばっちりです」

「あ、アルさんにサンプルを渡したのって、それが目的？　ちゃっかりしてるなぁ」


その日、夕食の時間になっても小川は帰ってこなかった。

「遅いですね、小川さん」

「きっと研究が順調なんだろう。小川さん、なんだかんだいって研究職が性に合ってるからな」

よくあることだと広瀬は答えた。

広瀬の言葉に茜が頷く。

「おじさんが遅いのは、いつものことですから、気にすることないですよ」

「そういうものなんだ」

魔法の研究の話を聞きたかったんだけど、と美咲は残念そうに言った。


結局、翌朝になっても小川は帰宅しなかった。

「美咲先輩、エナジードリンク出せましたよね？」

「うん、飲む？」

「おじさんに差し入れてあげたらどーかと思いまして」

なるほど、と頷いた美咲は、エナジードリンクと眠気覚ましのミントタブレット、インスタントコーヒーを呼び出す。

「こんな感じかな？」

「いいですね。それじゃこれに入れましょう」

茜はトートバッグに美咲が呼び出したものを詰め込む。

そしてセバスチャンを呼び、トートバッグを手渡すと、取り込んだ洗濯ものから適当に着替えを見繕って小川に届けるようにと指示を出した。

「こんな感じでいいですかね？」

「うん……てゆーか、茜ちゃん、流れるようにセバスさんに指示を出してたね。なんか手慣れてた」

「お嬢様キャラを演じただけです」

◆

翌日、神殿で聖典を読み、巡礼コースを回っていると、初日に美咲の採寸をしたコリーンというシスターがやってきた。

「ミサキちゃん、仮縫いができたよ。調整するからちょっとこっちに来なさいな」

「マルセラさん、いいですか？」

美咲の後ろについて回っていたマルセラに尋ねると、マルセラは頷いた。

コリーンに連れられて先日採寸した部屋に入ると、そこには衣桁《いこう》が設置されており、白い和服に似た衣装が広げて掛けられていた。

「あれ？　修道服じゃないんですか？」

「ん？　そりゃそうさ。なんたって女神様から神託のあった祭祀だからね。みんなで聖典を調べ直して、適切な衣装を用意したんだよ。どれ、それじゃ、服を脱いじゃっておくれ。巫女の衣装は厚手の布を使っているから、セーターも脱いで下着になってね？」

「はい、ええと、それじゃ脱いできますね」

美咲は衝立の後ろで、修道服と下に着込んでいた服を脱いで下着姿になる。

冬の石造りの建物の中は寒くて、凍えそうになる。

脱いだ服を軽く畳んだ美咲は、少し震えながら、

「脱ぎましたけど……」

とコリーンに声をかけた。

「それじゃ、こっち来て。着せてあげるから」

コリーンの手で美咲は白い和服のような衣装を着せられていく。

それは十二単《じゆうにひとえ》のように何枚もの服を重ねる構造だった。

決定的に和服と違うのは、帯がなく、衣装に縫い付けられた紐で各部を留める構造になっている点と、その結果、シルエットがゆったりとしている点だろうか。

「はい。それじゃ、ちょっと歩いてみて……裾は大丈夫だね。それじゃ祈りを捧げるように手を組んで……肩のあたり、大丈夫かい？」

「あ、はい」

「今度は両手を横にして……少し脇あたりを詰めたほうがよさそうだね。針で留めるから動かないでね」

ちくちくと、脇の下あたりを待ち針で詰めていくコリーン。

そのあとも美咲はコリーンに言われるがままに動いたり固まったりを繰り返した。

「ん、それじゃ、今日はこれでおしまい。二着縫うからね。一着は練習で着てもらうよ」

「練習用に一着作るんですか？　贅沢ですね」

「そりゃそうさ。裾とかゆったりしているからね、本番で転ぶわけにはいかないだろ？」

そう言って、コリーンは美咲の頭を撫でた。

◆

その日の晩、美咲たちが夕食を食べ終え、そろそろ寝ようかという時間に小川が帰ってきた。

かなり疲れが見えていたが興奮した様子で美咲に、回復魔法がひとまず成功したと告げた。

「ひとまずって、どういう意味ですか？」

「とりあえず三メートル離れて魔法を投射したんだけど、マウスの傷は回復したんだよ。あとは経過観察だね。ちゃんと正常な細胞で治っているかを確認しないと」

「ああ、そういう意味ですか。そうなると完成まで、まだ結構かかりそうですね」

美咲はこれから小川が行うだろう実験の難しさに眩暈がしそうだった。

この世界には顕微鏡すらないのだ。

癌化の可能性を考慮するなら数カ月単位で様子を見なければならないし、場合によっては実験のための機材から自作しないといけないだろう。

「うん？　ああ、それはそうだね。でもいままでの成果ゼロと比べれば大変な進歩だよ。美咲ちゃんのお陰だね。魔法の三原則だけでも、王城に呼ばれるほどの仮説なんだよ」

「いえ、そういうのは遠慮します。ところで、どうやってみんなに回復魔法を覚えてもらうんですか？　自分で言っといてなんですけど、あのイメージは現代科学を齧った日本人じゃないと難しいと思うんですよね」

そもそも細胞が認識されているのだろうか、と美咲は首を傾げる。

そんな美咲に、順番を逆にするんだと小川は言った。

「まず最初は、回復の魔道具を普及させるんだ。そうすれば怪我は魔法で治るんだっていうイメージを皆が持つよね。それが済んだら魔法の秘儀ということで、細胞とか免疫とかの考え方を学んでもらう。そのうえで魔法を勉強してもらえばいけると思うんだ」

最悪、魔道具が起こした事象そのものをイメージして魔法を使ってもらう手もあると、小川は考えていた。

すでに小川の頭の中には、回復魔法のカリキュラムがある程度でき上がっていた。

徹夜しながら、そんなことまで考えていたらしい。

「魔道具って、その魔法を使えなくても作れるんですか？」

普及させるには大量の魔道具が必要になりますよね、と美咲が問いかけると、小川は首を横に振り、魔道具に魔法を記憶させるには、その魔法を使えるのが最低条件だと小川は答えた。

「でも僕も魔道具を作れるからね。ひとつ目ができたら、美咲ちゃんには量産を頼みたいんだけど頼めるかい？」

「私、手先はそんなに器用じゃないですよ？」

料理と裁縫ならできるが、魔道具なんて作ったこともないと美咲が返す。

「いやいや、『お買い物』を使ってだよ。一個完成させたら、百個くらいに増やして、薬師や治療院に配布するんだ」

小川が作った魔道具を美咲が買い取れば、確かに増やせる。美咲は、それならできますと頷く。

「ところで薬師、治療院って日本でいうお医者さんですよね？　魔法を使えないお医者さんに魔道具を渡すより、外科治療は魔法協会が行うって棲み分けたほうが、回復魔法の使い手を増やすのに、都合がいいんじゃないんですか？」

「いや、かすり傷程度ならともかく、深い傷や骨折は、患部を綺麗に洗浄したり、骨を固定したりって技術がないと綺麗に治らないからね。魔法協会では難しいよ」

それに、と小川は続ける。

「この世界の医学を発展させていくには、薬師や治療院を守らないといけないからね。あくまでも回復魔法は、治療の補助として使っていくようにしないといけない。僕にとって一番望ましいのは、治療院の医者が回復魔法に興味を持ち、その原理を解明して医学を発展させていくことなんだ」

回復魔法の研究の最終目標はそこだと思っているのだと小川は言った。傷が治るのは女神様の力によるものとされているこの世界で、その目標はとても遠くにあると小川は苦笑し、美咲は頷きを返した。

◆

翌日、美咲は神殿の一室で、マルセラによる試験を受けていた。

聖典の内容についてマルセラが質問をして、それに美咲が答えるという形式で、もとより薄い本が試験対象であるため、美咲は高得点を叩き出した。

その結果に、マルセラも満足げだった。

「さすがミサキ様です。点を得られなかったのはいろいろな解釈ができる部分で、ミサキ様の解釈でも厳密には間違いではありません。もう座学は十分のようですね」

「ありがとうございます」

「あとは拝跪の練習ですが、練習用の服が完成しましたので、明日からはそれを着ていただきます」

「あ、もうできたんですね。でも神殿であの服って浮きませんか?」

ほかのシスターと同じ墨染めの修道服であれば、神殿内をうろうろしていてもそれほど目立たないだろうが、真っ白い巫女の装束はかなり目立ちそうだった。

実際のところ、女神様の色の美咲が、主神ユフィテリアと同じ髪型で神殿内を歩き回る姿は、参拝者の少ない冬場だというのにそれなりに目立ち、すでに町で噂になっていたのだが、幸か不幸か美咲の耳には入ってきてはいなかった。

「大丈夫です。多少目立ってもそれを見るのは俗人です。本番は女神様がご覧になられるのですから、それと比べれば大したことではありません」

美咲にとっては大問題なのだが、神殿の基準では大したことではないらしい。

幸い、石造りの神殿内部は薄暗いため、遠くからでははっきりと美咲の容姿を見ることも敵わない。だが美咲には女神様の色という、隠すのが困難な特徴があるのだ。

町中で、あれが春告の巫女だと指を差されるのは避けたかった。

「できればあんまり目立ちたくないんだけど……」

「でしたら座学も終わりましたし、明日から練習は午前中だけにしましょうか。冬場の午前中は、あまり信者の方はいらっしゃいませんから」


数日後。

マウスの状態確認に茜の『鑑定』を利用するという方法を思い付いた小川は、茜の協力のもと、実験過程の進行を加速させ、回復魔法の安全性を確認すると、美咲たちに向かってとりあえずの完成を宣言した。

協力した茜としては、二度とやりたくない面倒な作業だったとのことで、盛大に愚痴を零していた。

小川が〝とりあえずの完成〟と微妙な表現に留めたのは、これから数多くの実験を行うことで、回復魔法の限界を探らなければならないということと、普及に向けたさまざまな取り組みが必要だからである。

その翌日から、小川は魔法協会に泊まり込んで論文を執筆し、数本の論文を仕上げた。

論文発表の場で、回復魔法完成の報を受けた魔法協会の研究員たちは震撼した。

魔法協会の歴史上、回復魔法はさまざまな天才が挑み、破れていった研究課題で、それゆえ不可能魔法とまでいわれていた。小川が成し遂げたのは、そんな魔法の開発だったのだ。

当然、論文の内容を信じられないと言う者も少なからずいたが、公開実験で回復魔法の存在は、立証されていった。

回復魔法と同時に小川が発表した複数の論文のうち、特に注目されたのが、回復魔法開発の基礎となった、魔法の三原則と自然治癒に関する考察だった。

魔法の三原則はそのわかりやすさと、さまざまな魔法の課題を解決するための基礎理論として、反対に自然治癒に関する考察は、そのあまりの難解さから注目を浴びることとなった。

回復魔法を理解するうえで必須の知識となる、自然治癒に関する考察は、できるだけ平易な言葉で怪我が治る仕組みを記したものだったが、残念ながらそれを理解できた者は、魔法協会にはまだいない。

いずれにせよ、回復魔法の存在は魔法協会に認められた。

魔法協会の大騒ぎが一段落した頃、協会内では小川の功績がどのように評価されるかという話題が飛び交っていた。

研究者たちの間では、回復魔法の開発は当然大きな功績だが、魔法の三原則の論文や自然治癒に関する考察も、インフェルノやアブソリュート・ゼロの開発以上の功績であると評価されていた。

そして、最低でも叙勲、場合によっては叙爵されるのではないかと噂が広まっていた。

小川がその話を美咲と茜にして、もしも勲章をもらえるなら共同開発者として一緒にもらいに行くかと尋ねたところ、ふたりとも首を横に振った。

「地球で言うところのノーベル賞みたいなものだよ。茜ちゃん、最年少受賞者とかに興味はないかい？」

「そう聞くとちょっと興味が出てきますけど、いろいろ面倒そうなのでいらないです。おじさんが受け取っといてください」

茜は美咲と違って目立つことを忌避しているわけではない。しかし美咲が目立つのを嫌うのと同じ程度に、退屈や面倒事を嫌っていた。

リバーシ開発で褒賞をもらったときに王城に招かれたことのある茜にとって、王城とは待ち時間がやたらと長い退屈な場所でしかなかったのだ。

「そうかい？　美咲ちゃんはどうだい？　魔法の三原則がなければ、回復魔法の開発はできなかったんだし、魔法のイメージも美咲ちゃんの功績なんだよ。褒賞金もたくさん出ると思うんだけどな」

「目立つのは小川さんにお任せします」

「んー、ふたりとも欲がないねぇ」


そんなある日。

夕食を食べ終わった美咲と茜、広瀬がコタツで寛いでいると、

「回復の魔道具が完成したよ」

小川は帰ってくるなりそう言って、青い大きな虫メガネのようなものを掲げた。

直径二十センチほどの輪に持ち手が付いたそれは、レンズのない虫メガネのように見えた。

「さすがおじさんです。『賢者』のスキルは伊達じゃありませんね。虫メガネにしか見えませんけど」

茜は小川から魔道具を受け取り、引っ繰り返す。

虫メガネの輪の部分は、片面は青く、もう片面は黄色く着色されていた。柄には太くなっている部分があり、そこだけ赤く塗られていた。

それを見て、派手ですね、と茜が呟く。

「魔道具本体は柄に内蔵されてて、柄の赤い部分を回転させると虫メガネの黄色い面から回復魔法が飛ぶように作ってあるんだよ。輪にしたのは患部を確認しながら回復魔法を飛ばすため。傷口を

確認しながら使えたほうがいいだろうからね。着色したのは、使う面を間違えないためだね」

「小川さん。できたらその魔道具、対魔物部隊にも回してもらえませんか？」

興味深そうに眺めていた広瀬がそう言った。

対魔物部隊は最前線で戦う部隊であり、怪我人も多い。回復の魔道具があれば継戦能力が向上するし、なにより助かる命もあるだろう。

「そうだね。配布先は薬師や治療院と考えていたんだけど、魔物と戦って怪我したら、その場で回復できたほうがいいか。うん、配布先リストに入れておくし、個人的にも渡すよ……さて。それでは美咲ちゃん、僕からこの回復の魔道具を買ってみてもらえるかな」

「あ、はい。とりあえず、大銅貨でいいですかね」

「百円相当ってのが泣けてくるね。いいよ」

美咲は大銅貨と引き換えに、回復の魔道具を茜から受け取る。

「これで呼べるかな？」

試しに呼んでみると、回復の魔道具がふたつになった。

「呼べましたね。とりあえず、あと八個呼んで……ナイロン紐……と」

合計十個になった魔道具の輪の部分にナイロン紐を通してひとまとめにする。

「よし、と。それじゃ茜ちゃんにあげるね」

ナイロン紐でまとめた魔道具を茜に渡す。

受け取った茜は、なぜ渡されたのかわからずに首を傾げた。

「え？　私にですか？　なんでですか？」

「大銅貨二枚で、十個を私に売って」

美咲の言葉に、茜はなるほどと頷いた。

「十個のセット販売ですね」

「そういうこと」

大銅貨二枚と引き換えに魔道具十個を手にした美咲は、今度は十個セットになった魔道具を呼び出した。

あっという間に回復の魔道具が増えていく。

「……美咲先輩の能力、本当に便利ですよねー」

「転移した先が樹海の中でなければ、私もそう思えたかもしれないけどねぇ」

最初に白狼《はくろう》に襲われたときの恐怖を思い出し、助かったのは運がよかっただけだと美咲は身震いした。

魔道具を合計百個まで増やした美咲は、それをまたナイロン紐でまとめて茜に全部渡した。

「念のため、これもセット販売しとこう」

「はーい、じゃあ、今度は三十ラタグで」

大銅貨三枚が茜の手に、魔道具百個が美咲の手に渡った。

「茜ちゃん、ありがとね。小川さん、とりあえず百個まで増やしましたよ。必要なら、まだ魔素に余裕ありますけど」

まだ呼びますか？　と聞きながら、美咲は百個になった回復の魔道具を小川に手渡した。

回復の魔道具を受け取った小川は、それをアイテムボックスにしまい、首を横に振った。

「いや、今日のところはこれで十分だよ。ありがとう、これでこの世界に回復魔法を広められるよ」


その数日後。

リバーシ屋敷に、王城から招待状が届けられた。

研究開発者として小川の名があるのは当然なのだが、そこにはなぜか、美咲と茜の名前もあった。

「なんでなんですかねー。おじさん、私たちを売りましたか？」

「人聞きの悪いことを……でも、なんでだろうね？」

論文には、協力者がいるとは書いたが、名前までは書かなかったと小川は首を捻る。

「あー、悪い。それ多分、俺」

広瀬が手を挙げた。

「広瀬さん、なにしたんですか？」

「いやぁ、小川さんに聞いた話をアルにしちゃったんだよな。いや、まさか、アル経由で王城から招待状が来るなんて思わないじゃないか」

美咲は頭痛を堪えるように額を押さえる。

その横では茜が、

「アレだっていちおう王族ですからねー。おにーさんの考えなしー」

と広瀬を責めていた。

「悪かったよ。それとアレじゃなくてアルな。不敬罪で捕まるぞ」

しかし、届いてしまった以上、王城からの招待状を無視するわけにもいかない。

茜と小川は以前王城に招かれたことがあるが、美咲は今回が初めてである。作法から学ばなければならない。

「ただでさえ、春告の巫女で大変なのになぁ」

美咲は天井を見上げると、面倒くさそうに溜息をつくのであった。


翌日の午後。

神殿での練習を終えた美咲は、茜に連れられて洋服店を訪れていた。

美咲には王城に着ていけるようなドレスがないため、その準備である。

洋服店といっても、日本のそれとはまったく異なる。完成品数点が見本として飾られている程度で、店内にはほとんど服が展示されていなかった。そして服の代わりに、いくつかのテーブル席がある。

茜が店員に来訪目的を告げると、ふたりはテーブル席に案内された。

少しすると店員が立派な装丁の革の本を持ってくる。それを受け取った茜は、自分たちだけで見たいと言って、店員を下がらせた。

「茜ちゃん、その本はなに？」

「カタログです。ドレスのデザイン画が描かれていて、これを見て決めるんですよ」

デザインを決めたら次は色と布地を決めるのだと言いながら、茜はカタログのページをめくる。

「美咲先輩、どんなドレスがいいですか？」

「地味で目立たないのかな」

「難しい注文ですね。品がよくて、体の線をあんまり出さず、色は原色を避けるって感じですか？」

「そもそも私は〝青いズボンの魔素使い〟だし、この格好でってわけにはいかないかな」

上はセーターにピーコート、下は安定のデニムパンツ。ミストの町で冬場の美咲といえばこれである。コートはダウンジャケットも呼べるが、さすがにナイロン生地はこの世界では素材的に未知すぎてアウトだろうと自粛している。

「いやいや、傭兵として呼ばれたんなら、それでもいいでしょうけど、魔法使いとして招待されたんだから、ドレスコード違反だと思いますよー」

「駄目かぁ……茜ちゃんは前に呼ばれたとき、どんなドレス着たの？」

「あー、はい。そーですね。水色のワンピースですよ。面倒なので、今回も同じのを着るつもりです」

茜はカタログをめくり、これに似たのですね、とAラインのドレスの絵を指差した。

「水色のワンピースねぇ……裾丈はこれだとどれくらいになるの？」

「丈は脛《すね》が隠れるくらいの長さです。ちょっとふわっとした感じのですね。裾を踏まずに済みますよ。美咲先輩も同じデザインにします？」

自分がそういうドレスを着ているのを想像したのだろう。美咲はしばらく考えて、

「うん、ないわ」

と呟いた。

似合うと思いますけど、と言いながらも、茜はカタログのページをめくって美咲に似合いそうなデザインのドレスを探す。そして、候補を数点挙げて美咲に見せるが、美咲の反応は鈍かった。

茜からカタログを受け取り、美咲もデザインに目を通す。

一通りデザインを眺めた美咲だったが、どれもピンとこなかったようで、疲れたように目を閉じた。

「あ、もしもドレスが駄目なら、ローブっていう手もありますけど……」

「ローブって魔法使いが着るやつ？」

「はい。今回私たちは魔法使いとして呼ばれてるわけじゃないですか。だから、魔法使いの正装ってことでローブを羽織ればいいんじゃないかと。おじさんはそーするつもりだって言ってましたし」

美咲先輩ならローブも似合いそうですね、と茜は呟く。

「ローブか。うん、いいね。ドレスよりずっとシンプルでいいよ。ローブなら前にフェルにもらったのがあるから、それでいいかな」

「いやいや、新調しましょうよ。着古したのなんて、かえって目立ちますよ」

「それもそっか」

茜は店員を呼び、ローブのカタログを持ってくるように頼む。

それを聞き、ローブにもバリエーションがあるのかと、美咲は軽い眩暈のようなものを覚えた。

それからしばらくの間、美咲は午前は神殿で祈りの作法を練習し、午後はリバーシ屋敷で、王城で粗相をしないための作法を学ぶことになった。

作法の教師はセバスチャンである。

歩き方、馬車の乗降、拝謁時の基本的な作法、もしも直接声がかかった場合の受け答え、拝謁を終えて下がる際の作法を一通り練習する。

頭の下げ方ひとつとっても、美咲が知っている礼法とは微妙に異なるため、ついつい日本の癖が出てセバスチャンに直される。

なお、茜も同じ指導を受けていた。茜が城に招待されたのは一年以上も前のことであり、茜も作法に怪しい部分があると判明したためである。

「私も美咲先輩の真似してローブにすればよかったです。ローブならカーテシーが下手でもバレませんもんね」

カーテシー――スカートをつまんで膝をちょんと曲げる挨拶が苦手な茜がぼやく。

「確かにローブだと、カーテシーの粗は目立たないかもね。でもローブを着たら着たでいろいろ作法があるから、いまからだと覚えるの大変だよ」

ローブ姿でも、女性ならカーテシーが必要になることもある。あまり変わらないと美咲が答えると、茜はがっくりと肩を落とした。

「そーなんですよねー。そもそも王様の前ではちゃんと跪くのに、なんでカーテシーの練習が必要なんですかね。カーテシーって跪くのと同じ意味ですよね？」

「お城で王様以外の誰かに声をかけられちゃった場合に必要だって言ってなかったっけ？」

「あー、そういえば、前にお城に行ったとき、名前忘れちゃいましたけど、伯爵に声をかけられましたっけ」

「実際にそういうことがあるんだ。面倒そうだなぁ」


そして城で表彰される日がやってきた。

小川と美咲はローブ、茜はドレス姿である。なお、美咲はローブの下に、日本製のオレンジ色のセーターと、紺色の前開きのロングスカートを着ており、その足下はメイドによって綺麗に磨き上げられたブーツという出で立ちである。

城からの迎えの馬車は貴族街への門をくぐり、城門で簡単なチェックを受けると、そのまま城門を抜けて王城に入っていく。

「お城に入るのって簡単なんですね」

ぽつりと美咲が呟くと、それに小川が答えた。

「お城からの迎えの馬車だからね。今回は賓客待遇なんだよ」

前回、小川が表彰されたときは、小川自身が招待状を持ち、自身で仕立てた馬車で王城まで向かわなければならなかったらしい。それから考えれば、今回の扱いのよさは怖いくらいだ。

「それだけおじさんの評価が高まったってことでしょーね。公式には三つ目の新魔法開発ってことになるんですから」

「本来、その評価はほとんど美咲ちゃんのものなんだけどね。僕がやったのは回復魔法の実用化だけだし」

「でも一番評価されるのは、回復魔法の実用化だと思いますよ。私は今回、思い付きを喋っただけですから」

閃きは大事だが、それだけでは意味がない。

回復魔法に関しては、閃きを形にするための努力をしたのは小川だった。

そして戦争がない平和ないま、より高く評価されるのは攻撃魔法ではなく回復魔法だ。美咲はそれを正しく理解していた。

「美咲ちゃんにそう言ってもらえると助かるよ」

「そーゆー意味では、私が一番なにもやってませんよねー。ほんと、なんで呼ばれたんだか。あとでアルに文句言わないと」

城に入ると控え室に通される。

控え室といっても、美咲の感覚では立派な応接室である。

「前に僕が来たときは、一時間くらい待たされたかな」

小川が前回の経験から待ち時間を教えてくれたが、今回は賓客待遇だからか、十分ほどの待ち時間で迎えがやってきた。

その迎えに案内され、一際大きな扉の前まで連れてこられる。

「この先に王様がいらっしゃるから、失礼のないようにね」

小川の言葉に美咲の緊張が高まる。

居住まいを正す間もなく扉が大きく開かれた。

歩き出す小川に付き従うように、美咲と茜も謁見の間に入っていく。

足下には真紅の絨毯。左右には近衛兵だろうか、磨き上げられた金属鎧を着けた騎士が並んでいる。

小川が立ち止まったのを見て、美咲と茜も足を止め、タイミングを合わせて跪いた。

「コウジ・オガワ。この度の回復魔法開発、並びにその基礎理論の論述、大儀であった……」

跪き、頭を下げている美咲の頭上を、宰相の言葉が通り過ぎていく。

（早く終わらないかなぁ）

跪いたまま、ただそれだけを考え、美咲が小川の靴の踵を眺めていると、小川の前に宰相がやってきて、小川を立たせるとその胸に勲章を着けた。

そして勲章とは別に、小さな箱を三つ、小川に手渡す。

これで終わりかと美咲が油断していると、

「オガワよ、大儀であった。回復魔法は多くの民草の命を救ってくれるだろう。よくやってくれた」

王様が小川に声をかけた。

「ありがたき幸せ」

そして小川が返事をして、謁見は無事終了した。

「話をまったく聞いていなかったんですけど、結局どうなったんですか？」

帰りの馬車の中で、美咲は小川に質問した。

「聞いていなかったって、美咲ちゃん、なかなか大胆だね」

「聞いてると緊張しちゃいそうだったのでつい」

跪いている間、絨毯がふかふかで体が左右に揺れそうになるし、宰相の声を聞いているとついつい緊張してしまうしで、話の内容まで集中することができずにいた美咲は、ただひたすら小川の踵を眺めてバランスを崩さないようにするので精一杯だったのだ。

「まあ結局、僕には一代限りの男爵位と勲章に褒章メダル、それと金貨二千枚。美咲ちゃんと茜ちゃんには褒章メダルと、褒賞金として金貨千枚ずつが下賜されたよ」

褒章メダルは小川が代表して受け取っていた。

金貨については、合計四千枚と量が多いため、馬車に直接届けられている。

「金貨千枚っていうと……あれ？　ざっくり一億円？　そんなに？」

「まるで宝くじですねー」

茜は楽しそうに笑っていた。

「ところで、男爵になったってことは、小川さんは貴族街に引っ越すんですか？」

王都はその中心に王城があり、城の外側に貴族が住まう貴族街があり、さらにその外側に平民街がある。リバーシ屋敷は貴族街に近い場所にあるが、貴族が住むエリアではない。貴族街に家を借りて引っ越すのかと質問する茜に、小川は首を横に振って否定した。

「いや、リバーシ屋敷は魔法協会に通うのも便利だし、ロバートの食事は美味しいし、茜ちゃんさえよければ、このまま居候させてほしいかな。いいかい？　茜ちゃん」

「いーですよ。春になったら、私と美咲先輩はまた留守にしちゃいますので、留守の間の管理、お願いしますね」

◆

美咲が『お買い物』で量産した回復の魔道具は、国を通じて各地の治療院、薬師など、いわゆる医療関係者に配布された。また、一部は外交の道具として国外にも提供されている。

王都神殿前の奇跡から、誰が言い出したか、いつしか〝女神の口付け〟という通称が魔道具の呼び名として広まっていた。

魔法協会内部では、有志により小川の書いた論文の勉強会が開始されている。国内の魔法使いによる回復魔法の運用も、近い将来実現されることになるだろう。

そうこうするうちに、復活祭が近づいてきていた。

春告の巫女としての練習は毎日行っている。

その甲斐あって、美咲は聖句を完全に暗記し、目を閉じたままでも神殿の中を歩けるほどになりつつあった。

「もうミサキ様にお教えすることはありませんね」

マルセラは満足げに頷きながらそう言った。

「ありがとうございます。あとは復活祭の二日目の午後に来ればいいんでしたっけ？」

「はい。身を清め、夜からはお酒とお肉、お魚を断っていただきます」

身を清めると聞き、水垢離《みずごり》をするのかと美咲が震える。最近はだいぶ暖かくなってきたが、水を被るのはつらい。

「あの、身を清めるっていうとどういう？」

「お風呂です。髪も洗っていただきます」

マルセラの言葉を聞き、美咲はホッと安堵の息をついた。

「なるほど……お昼までは普通の食事でいいんですか？」

美咲が確認するとマルセラは頷く。

「その通りです……あの、念のための確認ですが、お酒は嗜《たしな》まれますか？」

「いいえ。この国の法律では私は成人してますけど、生まれた国の法律ではまだお酒は飲んじゃいけないことになっているので」

なんでですか？　と尋ねるとマルセラは曖昧な笑みを浮かべた。

「飲まれないのなら問題はないですが、その、精進潔斎の前に、ついつい深酒をしてしまう方もいらっしゃいますので」

「精進潔斎の前？　春告以外にもこういう巫女がいるんですか？」

「いえ、ご祈祷などをされる方は、前日からの精進潔斎をお願いしているのです」

「ああ、そういうことですか」

美咲とマルセラが話していると、信者らしき人たちが神殿に入ってきた。

薄暗い神殿の中、真っ白い衣装を着た美咲はとても目立っていた。そして、その髪型と髪色は女神様のそれと一致している。

入ってきた人たちは美咲を見て驚いたように目を見開き、女神像と美咲を見比べた。

「マルセラさん、目立ってるみたいなのでそろそろ着替えて帰りますね」

「ええ、わかりました。それでは復活祭の二日目の午後にお迎えにあがりますので」

「はい」


寒さが落ち着き、茜のカイロの売れ行きが落ちはじめた頃、復活祭が始まった。

一般人にとっては、復活祭は二日間の行事である。

丸一日かけて行う大掃除と、その翌日、主神ユフィテリアの目覚めを慶ぶお祭りである。

神殿の復活祭は三日間にわたって行われる。

初日は、冬の間閉めきっていた神殿の窓という窓を丸一日開け放ち、女神像についた埃を落とす煤払《すすはら》い。

二日目は、微睡祭で消灯した燈明《とうみょう》に火を灯し、すべての神職が主神不在時を守った姉女神に感謝の祈りを捧げる日。

三日目は、神殿の正面入り口以外を閉めきり、神殿の外の参道ですべての神職が祈りを捧げ、主神ユフィテリアの目覚めと帰還を寿ぐ日とされている。

二日目の夕食から精進潔斎のために神殿で寝起きすることになるが、美咲の出番は、この三日目となる。


復活祭一日目。

リバーシ屋敷ではセバスチャンが中心となって、メイドたちが大掃除を行うため、美咲と茜は邪魔にならないようにと市場に足を運んでいた。

市場では大掃除を兼ねた在庫一掃セールを行う店が多いようで、

「久しぶりに私の鑑定が火を噴きますよー」

と茜が張り切っている。

「もう変なポーションとか見付けないでよね」

「いやいや、あれのお陰で、おじさんが回復魔法開発に興味を持ったんじゃないですかー」

「それはそうなんだけどねぇ。それより、どうせならなにか可愛いもの探そうよ」

「可愛いものですか？　それじゃ、あそこのアクセとか見てみましょうか」

茜が指差すほうを見ると、確かに指輪が並んでいる。だが、どれも幅広で、見るからにゴツゴツしている。

「ん？　あれって男性用じゃないの？　やたらごついけど」

「んーと……あー、魔力発動体ですね。杖だけじゃなく指輪版もあったんですねー」

「んー、あれはちょっと趣味じゃないかなぁ。フェルが持っていたのはもっとシンプルで可愛かったよ」

可愛いもの、可愛いもの、と呟きながら市場を回る茜が足を止めたのは、木彫りの人形を並べた露店だった。

「美咲先輩、これどうです？」

「……それ、可愛い？　それにこのラインナップはどうなの？」

並べられているのは、どう見ても木彫りの魔物だった。全部額のあたりに目のようなものが彫ってある。

白狼や地竜もいる。美咲が見る限り、それらはとてもリアルな人形だった。

「おじさん、これ変わってるね。なんで魔物の人形なんて作ったんですかー？」

店番をしていた男に茜が問いかけると、男は肩を竦めた。

「魔法協会の研究資料だったのさ。研究が終わって、こうして売れそうなものが市場に流れてきたってわけだ」

「それで売れてるの？」

「いや、さすがに魔物は売れねーわな」

「そりゃそーだろーねー」

魔物の人形を買うような物好きは多くない。

だからこそ煤払いのこの日に売りに出しているのだろう。

だが、魔物の人形を買うような物好きがいないなら、作るような物好きも少ないはずだ。

茜は、鑑定的な価値とは別のところで、この人形が珍品であると判断した。

「それじゃおじさん、全部買うよって言ったらおまけしてくれるかなー？」

「ん？　お嬢ちゃんが買うのかい？　それなら、んー……全部で千二百ラタグでどうだい？」

精巧な手作りの木彫り人形セットの値段としては、なかなか悪くない値段である。対象が魔物という点は問題だが、丁寧に仕上げられた木彫りの人形と考えれば、その数倍の値段が付いてもおかしくはない。

「端数切って千ラタグでなら買うよー」

「嬢ちゃん、そりゃねーよ。せめて千百ラタグだ」

「ま、いっか。それ買うね」

「毎度あり！　買い物上手な嬢ちゃんに女神様の幸がありますように」

復活祭の間だけ交わされる挨拶とともに、茜はたくさんの木彫りの人形を受け取った。

「美咲先輩、しまうので、ちょっと待っててくださいね」

買った人形をアイテムボックスにひとつずつしまい込む茜。

美咲は呆れたような表情で茜の抱えた魔物の人形を眺めた。

「……それ、可愛い？」

「あーいや、孤児院へのお土産です。グリンとかこーゆーの好きそうだし」

「なるほど、グリンならきっと喜ぶね」


復活祭二日目。

賑やかな町中を、美咲を乗せた馬車がゆっくりと進む。

そういう作法だから、ではなく、単に昼から飲んでいる酔っ払いが多く、危なくてスピードを出せないのだ。

復活祭二日目は、微睡祭よりも遥かに賑やかなお祭りだった。


亀の歩みでも道を間違えなければ、いずれ目的地には到着する。

神殿に着いた美咲は、風呂に入れられ、練習で使っていた真っ白い春告の巫女の服を着せられる。

「明日までの過ごし方ですが、聖典に目を通しておいてください。食事ができたらお持ちします」

「聖典以外は読んじゃ駄目？」

「いいえ、静かにお過ごしいただくのが目的ですので、一度目を通していただければ、あとはなにを読まれても構いません」

マルセラの言葉に、美咲はほっとしたように笑顔を見せた。

「よかった。聖典だけだと眠くなりそうだったから」

「でも、本なんて持ってきてるんですか？」

「あー、収納魔法に入ってるんですよね」

その日、美咲が読んだのは、聖典と、タイタンで進化して知性を得たロボットと地球人のファーストコンタクトの様子を書いた小説だった。

美咲が静かに本を読んでいると、マルセラが初老のシスターを連れて戻ってきた。

「ミサキ様、神殿長がご挨拶をしたいとの仰せです」

服装はほかのシスターと同じだが、神殿長というからには偉い人に違いないと、美咲は慌てて椅子から立ち上がって頭を下げる。

「初めまして。美咲です」

「初めまして。神殿長を務めさせていただいている、オリアーナ・マーロウです。オリアーナと呼んでくださいね……挨拶が遅くなってしまってごめんなさいね。出かけていることが多いお仕事なものですから」

オリアーナはそう言って微笑んだ。

「いいえ、わざわざのご挨拶、ありがとうございます」

「まあ、礼儀正しい娘ね。明日はユフィテリア様にしっかりと祈りを捧げてちょうだいね」

美咲は頑張ります、と頷いた。


復活祭三日目。

参道に並ぶ神職の祈りを背に、美咲はひとり、神殿に入っていった。

燈明が灯され、練習のときとは随分と印象が異なるが、美咲は間違えることなく巡礼コースを辿り、最後に女神像の前に跪いた。

手に持った聖典を開き、最初の三ページを黙読していると、不意に誰かの視線を感じた。

そのまま祈りを捧げ、立ち上がったところで、美咲は立《た》ち眩《くら》みのため少しふらつく。その肩を後ろからそっと支える手があった。

いま神殿の中にいるのは美咲ひとりだけのはずなのに。

「ありがとうございます」

美咲がお礼を言いながら振り向くと、女神像と同じ顔の女性がいた。

「礼には及びません。

それよりも、姉たちがいろいろと迷惑をかけました。姉たちは、あなた方をこの世界に留める楔《くさび》となる者を探していたようです。

すでに世界の巡りは回復しかけています。最後に大きな揺り返しが来るでしょうけれど、それが最後の淀み。それさえ散らせばすべて終わります。

祭が終わったらあなたはミストの町にお戻りなさい」

「あの、ユフィテリア様、ですか？」

「ええ」

ユフィテリアは静かに頷いた。

「すべてが終わったら私たちは日本に帰してもらえるのでしょうか？」

「……それはとても難しいことです。約束することはできません」

「そう、ですか。神殿の皆さんになにか伝えることはありますか？」

「それは不要です。そろそろ時間です。お戻りなさい、皆が気をもんでいるようです」

その言葉とともにユフィテリアの姿は消え去った。


「……本当にいたんだね」

ぽつりと呟き、美咲は神殿から参道に出た。

参道最前列にいるオリアーナが唖然として美咲のほうを見ている。最前列中央からだと神殿の中はよく見えるはずだ。おそらく、ユフィテリアの姿を目にしたのだろう。

皆の視線を浴び、一瞬戸惑った美咲だが、一礼をしてすぐにマルセラのそばに戻る。

「お疲れさまでした。問題はなかったですか？」

「えーと、はい」

ユフィテリアが出てきたのは問題じゃないよね、と小さく呟き、ひとり頷く美咲であった。

復活祭の祭祀がすべて終わったあと、美咲はオリアーナから呼び出された。

美咲が扉をノックすると、オリアーナは手ずから扉を開き、部屋へ迎え入れた。

「よく来てくれました。ミサキさんに質問したいことがあります」

隠し立ては意味がなさそうだと感じた美咲は、どうとでも取れる言い回しでそれに答えた。

「はい、ユフィテリア様のことですね？」

「……それではやはり、ご降臨なされたのですね」

感極まったように、両手を組んで神に祈りを捧げるオリアーナ。

どうやら神殿内のことは完全に見られていたようだ。

「あの……これは内密にしてくださいね。私はユフィテリア様から、あるお仕事を頼まれています。それは私にとってはとても簡単なことですが、他人に真似できることではありません。今回ユフィテリア様は、その進捗状況を教えてくださいました。あと少しだ、と」

「……ミサキさんは、ユフィテリア様が遣わした使徒だというのですか？」

オリアーナが目を見張る。

「いいえ、そんな大層なものではありません。ただ直接神託を受けただけです。この話が広まると、仕事に支障が生じますので……」

「……ああ、あなたはそれがどれほどの奇跡かおわかりにならないのですね。ですが、わかりました。あなたが授かった使命については、私の胸の内に留めることを約束します」

オリアーナはそう言って、美咲にユフィテリアのことを尋ねはじめるのだった。

二章　揺り返し

復活祭が過ぎれば暦の上では春である。

美咲と茜は、ユフィテリアの神託に従い、復活祭の二日後には箱馬車を手配し、王都を出てミストの町に向かっていた。

美咲たちの乗る馬車は、キャラバンの後ろを追うようにゆっくりと走っている。その速度は歩くよりは速いが自転車よりは遅い。

天候は晴れだが、見える範囲がすべて雪に覆われている。積雪量はそれほどでもないが、道に刻まれた轍が雪で隠れているため、先行するキャラバンも速度を出せないのだ。

「結構長いこと、王都で過ごしちゃいましたね」

「ミサキ食堂も巫女選定からこっち、閉店しちゃってるし、帰ったら再開しないとね。雑貨店のほうは在庫、大丈夫なの？」

「在庫がなくなったら、お休みにしていいって伝えてあるので大丈夫だと思いますよ。かなり補充しといたから、そうそう売り切れることはないと思いますけど。それより、神殿からもらったアレ、どうするんですか？」

「あー、アレね……」

復活祭最終日に神殿で渡された、巫女としての報酬を思い出し、美咲はどうしたものかと頭を悩ませる。

金貨五枚と、高さ二十センチほどの女神像を四体、もらってしまったのだ。

「ミサキ食堂に神棚でも作りますか？」

「いや、それはちょっと罰当たりな気がするし……そうだ、孤児院に礼拝堂があったから、あそこに寄付しようか。ユフィテリア様がダブっちゃうだろうけど」

「あー、専用の施設があるなら、そのほうがよいかもですね」

そんな話をしていると。

不意に馬車が停車した。

「あれ？　もう休憩？」

「いくらなんでも早すぎませんかねー？」

馬車の扉から美咲が顔を覗かせると、先行していたキャラバンが停止しており、前方がひどく騒がしい。

「なんだろ？　茜ちゃん。ちょっと見てくるよ」

「あ、私も行きますよー」

馭者に断って馬車から降り、騒ぎの中心に近付くと、革鎧を着た傭兵たちが白狼と対峙していた。

積もっている雪に紛れてはっきりしないが、わかるだけで白狼が三頭いる。

傭兵たちは剣と魔法を使って白狼を牽制しているが、効果的なダメージは与えられていない。

「魔物が出たんだね」

「嬢ちゃんたち、危ないから馬車に戻ってろ！」

美咲たちに気付き、声をかける傭兵。その死角から白狼が襲いかかろうとしていた。

「……炎槍！」

白狼の顔面に美咲の炎槍が着弾する。オレンジ色の炎槍に顔を焼かれた白狼はその場で顔を雪の中に突っ込むようにして転げ回る。

その機を逃さず、転げ回る白狼にとどめを刺す傭兵。毛皮を切り裂けているところを見ると、どうやら魔剣持ちのようだ。

「万物を構成せし極小なるものたちよ、我が呼びかけに応え、天狼星が如き獄炎を現出し、槍となりてあの白狼を貫け！」

一番遠くにいる白狼を狙い、茜が魔法《インフェルノ》を放つ。

青白い炎槍が白狼を直撃し、白狼は倒れ伏した。

倒れた白狼の周囲は、輻射熱の影響か、雪が溶けて地面が見えている。

「あと一匹は……逃げちゃったか」

「あ、あんたら何者だ？」

一番近くにいた傭兵が、美咲たちに問いかけた。

「私は〝蒼炎使い〟でーす。で、あっちが〝青いズボンの魔素使い〟」

「聞いたことがあるぞ。あんたらミストの町の傭兵か。助かったよ……この礼は」

「あ、お礼なら結構です。勝手に戦いに割り込んだのはこっちなので」

美咲は、すみません、と茜の頭を下げさせる。

「いや、魔剣持ちがひとりしかいなかったから助かったよ」

「へー、魔剣あったんですね」

魔剣が高価だということだけは知っている茜は感心したようにそう言った。

「傭兵が持てるような魔鉄の安物だけど、まあ白狼相手なら役に立つ。それにしてもあの遠距離で白狼を魔法で撃退するなんて凄いな。ありがとな」

「いえ、それじゃ、私たちは馬車に戻りますね。あ、白狼はお好きにしてください、分け前とかはいらないんで」


白狼の後始末で少し停滞したものの、そのあとは何事もなく、美咲たちはミストの町に到着した。

あたりはすでに暗くなっている。

キャラバンの後ろをのんびり走ってきたこともあり、もういい時間である。

北門は王都との往来があるため、夜間でも門番に声をかければ門を開けてもらえるが、そうでなければ門限で入町できなくなっているところだった。

「ほら、茜ちゃん。到着したよ」

「んー……眠いです……あれ？　ミサキ食堂じゃないんですかー？」

「ほら、馬車降りて。今日は温泉付きの宿に泊まるからね」

「んー？　温泉？」

久しぶりの青海亭《おうみてい》である。

年末に大掃除をしたとはいえ、ミサキ食堂は長い間閉めきっていたのだ。さすがに掃除なしで眠るのは抵抗があったため、美咲は青海亭に宿を求めた。

「こんばんは、女将さん、二部屋空いてますか？」

「ん？　ああ、ミサキちゃんじゃないか。空いてるよ。荷物はないのかい？」

「はい。それじゃ、二部屋一泊でお願いします」

「そっちの娘は〝蒼炎使い〟のアカネちゃんかい？　それじゃ、こちらへどうぞ」

女将さんに案内された部屋は、以前美咲が泊まったのと同じような、ベッドとチェストが置かれた部屋だった。

「あ、女将さん。できたらこれ、今日の夕飯で使ってください」

美咲は、大きな葉っぱで包んだ地竜の肉の塊を女将さんに手渡す。

「ん？　これはまた随分な量だね」

「地竜の肉です。余ったのは差し上げますので……ほら、茜ちゃん、温泉行くよー」

「温泉あるんですかー？」

「あるよー」

久しぶりの温泉にテンションが上がっているのか、ずりずりと茜を引っ張って温泉を目指す美咲。

途中から諦めたのか、茜も素直に美咲について歩き出す。

「なんか慣れてますねー」

「ミサキ食堂に引っ越すまで、ここを宿にしてたからね」

「温泉につられて宿を決めたんですか？」

茜はそう言って笑う。

「それもあるけどね、安全な宿だって商業組合で紹介されたんだよ」

「ミストは割とどこも安全な町だと思いますけどねー」

「当時は右も左もわからない状態だったからね」

この世界に自分以外の日本人がいるだなんて想像もしておらず、孤独の中で生きていかなければならないと思っていた。

未知の世界で、目立ったらどうなるかわからないと戦々恐々としながら、広場で常識を身に付け、地味に生きているつもりだったあの頃。この宿は美咲が安心できる数少ない場所だったのかもしれない。

「そういえば茜ちゃんと一緒にお風呂入るのって初めてだったっけ？」

「ミサキ食堂のお風呂はひとり用ですからねー」

リバーシ屋敷のお風呂は広かったが、一緒に入るという発想がそもそもなかった。

脱衣所に入った美咲は、入浴道具を二セット呼び出して茜にも手渡した。

「それじゃ入ろうか」

「はーい。背中流しますねー」

温泉でゆっくり温まったあとは、部屋に戻って室内着に着替え、少しのんびりする。

なぜか茜も美咲の部屋でまったりしている。

「茜ちゃん、そろそろご飯行こうか」

「そーですねー」

温泉で湯あたりでもしたのか、もそもそとベッドの上を這いずる茜を引っ張り起こして、美咲は上に一枚羽織ると食堂に下りていった。

食堂はかなりの賑わいを見せていたが、美咲の姿に気付いた女将は、手を振ってくれた。

「あ、ミサキちゃん。いま持ってくからね」

待つこと数分ほどで、夜定食が出てくる。

「地竜のステーキも付けたからね。しかしあんな鮮度の地竜の肉なんて、よく持ってこれたね」

「王都から帰ってくる途中、ちょっと魔物と遭遇しまして」

嘘は言っていない。

魔物が地竜ではなく白狼であったという事実を伏せているだけだ。

「さすがは〝青いズボンの魔素使い〟だね。残りは本当にもらっちゃっていいのかい？」

「ええ、新鮮なうちに食べたほうが美味しいですからね。それじゃ茜ちゃん、いただきましょう。感謝を」

「はい、感謝を」

青海亭の食事は、美咲が知る限りミストの町でかなり上位に入る。

そんな青海亭の女将が地竜を調理したらどんな料理になるのだろうかと思い、美咲は肉を渡したのだ。

そして出てきたのは、山椒のような香草を僅かに散らし、岩塩で味付けをしたステーキだった。

「シンプルだけど、美味しいですねー」

一口食べた茜が感嘆の声を上げた。

「そうだね。料理人によって、いろいろな調理方法があるんだね……山椒を合わせるなんて思い付かなかったなぁ」

「この風味がいいですねー。ちょっとピリッとするし……あ、大根おろしの和風ソースなんかも合いそうですねー」

「あ、確かに。帰ったら試してみようね」


翌日。

ミサキ食堂に帰った美咲は、すべての窓を開けて空気を入れ換え、寝具を屋上の物干しに干し、各部屋の魔道具に魔素を込めた。

事情を知らない人が見たら、復活祭の一日目のような騒ぎである。

「美咲先輩、食堂はいつから再開しますか？」

「んー、明後日くらいかな。今日、明日くらいはゆっくりしたいし」

馬車に乗っていただけとはいえ、雪上を走る馬車はかなり揺れていたため、美咲の疲れはまだ抜けきってはいなかった。バスタオルクッションを使っても、馬車での旅は地味に疲れるのだ。

「了解しましたー。それじゃ、私はちょっと雑貨屋の在庫を補充してきます。あ、あと、商業組合と工房にも顔を出してきますね」

「ん、わかった。私は掃除終わったら、傭兵組合と孤児院に行ってくるね」


一通り部屋の埃を払い、各部屋の掃除を終えた美咲は、傭兵組合へと足を運んだ。

「あ、ミサキさん。お久しぶりです」

窓口のシェリーが美咲を発見して声をかけてきた。

「こんにちは。王都での仕事が終わったので戻ってきましたよ」

「大変だったみたいですね。途中で白狼に襲われて活躍したとか」

シェリーの言葉に美咲は、護衛の傭兵から情報が流れたのだろうと推測する。

「耳が早いなぁ。茜ちゃんと一緒にちょっと手伝っただけなんだけどね。ところで、しばらく離れてた間に、指名依頼は出てる？」

「いまのところはありません。春先になると、魔物の分布が変わったりするので、出るとすればこれからですね」

「よかった。それじゃ、なにかあったら声をかけてくださいね」


傭兵組合をあとにした美咲は、その足で孤児院に向かった。

「ミサキおねーちゃんだー」

孤児院の末っ子、ミリーが美咲を発見して駆け寄ってくる。

「こんにちは、ミリー。シスターはいらっしゃる？」

「シスター？　おいのりしてるよー」

ミリーに手を引かれて礼拝堂に入ると、シスターが女神像に祈りを捧げていた。

「おや、どうかなさいましたか？」

「はい。王都の神殿で女神様たちの小さな像をもらったんですけど、正直、扱いに困ってしまいまして。こちらに寄付させていただければと」

美咲の言葉に、シスターは驚いたような表情を見せた。

「神殿から女神像をですか？　それはとても珍しいことですね」

「そうなんですか？」

「女神像はご神体ですから、分神殿を作るのでもなければ、女神像を一般の方に差し上げることはないのですけれど。見せていただいても？」

「はい。これです」

収納魔法で格納していた女神像を取り出し、シスターに手渡す美咲。

四体の女神像をそれぞれじっくりと確認し、シスターは頷いた。

「承知しました。こちらの礼拝堂でお預かりします」

しまいっぱなしは罰が当たりそうな気がしていた美咲は、よかったと胸を撫で下ろす。

「それじゃ、よろしくお願いします」

ミサキ食堂に戻ってきた美咲は、生鮮食品を呼び出して冷蔵庫にしまい、少し考えてから料理を始めた。

とりあえずプリンを作り、続けて地竜の肉を使ったカレーを作る。

カレーを煮込む時間を使って米を炊き、一息ついたところでフェルとアンナがやってきた。

「フェルはそろそろ来るだろうと思ってたけど、アンナが来るとは思ってなかったよ」

「察しがよくて嬉しいよ。ミサキ、プリンちょうだい」

「わかったからちょっと待って。それでアンナはどうしたの？　傭兵組合絡みの用事？」

アンナは首を横に振る。

「違う。フェルがこっそりここに入ろうとしていたからついてきた」

「……フェルはもう。とりあえずプリンね。アンナもどうぞ」

冷蔵庫からプリンを取り出して皿に載せ、スプーンを添えてフェルとアンナの前に置く。

「ありがとー……んー、久しぶりのプリンー」

「……美味しい」

ふたりは一匙一匙を惜しむように味わい、とろけるような表情を見せる。

「……ミサキ、これはなに？」

アンナは空になった皿を残念そうに見詰めながら尋ねた。

「プリンっていうお菓子」

振り向いてメニューを確認するアンナ。しかしプリンはメニューには載せていない。

「メニューにない？」

「まあ、裏メニューだからね。うちは食堂だから、お菓子はメニューには載せないの」

「……ずるい」

ぽつりとアンナが呟いた。

「はい？」

「内緒でこんな美味しいお菓子を食べてたなんて、フェルはずるい」

商業組合から各食堂にスイーツ類は流通していたはずだが、なにしろ絶対数が少ない。しかも茜がミストの町にいなければ商品を卸せないため、日本の甘味の存在を知る者はまだ少ない。

フェルがそんな甘味の情報を秘匿していたのは事実である。

アンナの追及にフェルは素直に謝った。

「あー、うん、ごめん」

「コンロと冷蔵庫があれば作れるよ。作り方教えようか？」

「……いい。また食べに来る」

「……フェル、責任もって、隠しメニューの注文のルールをアンナに教えてあげてね」

美咲は溜息をつき、フェルにそう言った。

「わかったよ……あ、そうだ。ミサキに聞きたいことがあったんだ」

「改まってなに？」

「回復魔法開発に携わったって本当？」

どこから情報が流れたのだろうと、美咲は首を傾げる。

「あー、うん、よく知ってるね。開発のお手伝いをしただけだよ。開発者は小川さんって人だからね」

「魔法協会の会報に載ってたんだ。ミサキも回復魔法、使えるの？」

「どうだろ。試してないからわからないけど、多分使えるんじゃないかな？」

回復のイメージはそもそも美咲が考えたものがベースだし、小川からいろいろと話も聞いている。

しかし、回復魔法を試すには、怪我をした生き物が必要となるため、美咲は魔法を試したことがなかったのだ。

「使ってみせてもらえる？」

「怪我人がいるならね」

「あー、そうか……アンナ、ちょっと試しに……」

「フェルを刺す？」

小さなナイフを取り出すアンナに、フェルは両手を上げて降参した。

「……痛いのは嫌だよね。うん、アンナごめん」

「でもフェル。回復魔法が見たいなら、回復の魔道具を使ってみたらいいんじゃないの？　国中に配布するって聞いたよ？」

「んー、魔法協会にはないんだよね。薬師と治療院優先だから」

「あー、なるほど。いくつか予備をもらってきてるから、回そうか？」

「ううん、それなら傭兵組合に回してあげて。あそこも怪我人が多いのに、持ってないんだよね」

ミストの町に配布された回復の魔道具はそれほど多くなかった。

対魔物の最前線と呼ばれる割に、扱いがあまりよろしくないが、この対応は小川の判断によるものではなかった。単純に、各町の人口に合わせて回復の魔道具を配備すると決めたのは魔法協会の上層部だった。そのため、比較的安全な王都の配備数が一番多く、魔物と接する機会の多い辺境部の町では少ないという現象が発生していた。配布先の優先順位も魔法協会によって決められており、一番は治療院、次が薬師で、傭兵組合の優先順位はそれらよりも低く設定されていた。

そのため、ミストの町の傭兵組合は、もっとも怪我人が出る可能性が高い集団だというのに、回復の魔道具が配布されなかったのだ。

「わかった。あとで傭兵組合に持っていくね」

「助かるよ。魔法は機会があったら見せてね……あとさ、褒章のメダルとかってもらわなかった？」

「うん、インフェルノとかのときのと合わせてふたつ持ってるけど？」

「片方でいいから、魔法協会に飾らせてもらえないかな」

「なんで……あ、いや、いい。箔付けだよね」

ミストの町の魔法使いが王城で褒章メダルをもらってきたとなれば、その魔法使いが魔法協会に加入していないにしても十分に箔付けになる。

校長室に部活動の表彰状を飾るようなものだろう、と納得した美咲は、ちょっと待つように言って自室に戻ると、机にふたつ並べておいた褒章メダルのうち、ひとつを手に取った。

その箱を持って厨房に戻り、フェルに手渡す。

「えっとね、箱に褒章の内容が書いてあるからわかると思うけど、回復魔法の褒章メダルね」

「ありがとう。これでうちにも箔が付くよ。でも本当に借りちゃっていいの？」

「うん、ひとつ持ってれば十分だからね」


フェルたちが帰ったあと、昼食に地竜カレーを食べた美咲はそのあまりの美味さに目を見張った。

スパイスで煮込まれた分厚い肉は、しっかりとした肉の味を感じさせつつも、とろけるような食感で口の中から消えていった。

「ただいまー」

「あ、茜ちゃん、ちょうどいいところに。このカレー食べてみて」

スプーンに肉を載せて差し出すと、茜はパクリと食いつき、モグモグと咀嚼する。

「……地竜ですか……カレーにも合いますねー。これ、食堂で出したら大変なことになりますよ」

「出せないって、さすがに地竜を安定供給なんて異常すぎるからね。こんなの茜ちゃんの伝手でも手に入らないでしょ？」

「確かに無理ですね。スパイスあたりならなんとでも誤魔化せますけど……あ、ところで美咲先輩。一台持ってきましたよ、洗濯機」

「あ、そういえば完成したって言ってたね。洗濯機か……どこに置こうか？」

「屋上かなって思ってます。屋外に設置することも念頭に置いて作ってあるので」

屋内に洗濯機置き場がある家なんかありませんからね、と茜は笑った。


ミサキ食堂の屋上に設置された洗濯機は、洗濯槽と脱水槽が分かれた二槽式だった。

屋上にある雨水排水口に排水ホースを差し込み、宿に泊まったときに出た洗濯物を入れて洗濯をしてみる。

洗い終わった洗濯物を洗濯槽から脱水槽に入れ直す手間がかかるが、手で洗うよりは遥かに楽に洗濯が終わる。

なお、洗剤は灰を使うことを前提としており、特に汚れが気になる部分には石鹸を擦り付けるという仕様だ。

洗い上がりが多少粉っぽいのは気にしない。この世界ではそれが標準なのだ。

「十分使えるね」

「そりゃ、ある程度の試験は済んでますからねー」

「ところでこれ、表面はなにか塗ってるの？」

金属とは違う光沢の洗濯機の筐体《きょうたい》を見て、美咲は首を傾げた。

「油性の塗料があったので、それを塗ってます。プラスチックとか使えるといいんですけど」

「ということは、完全にこの世界産なんだね。凄いね」

「そうなんですけど、これって複数の魔道具を組み合わせてるので、値段は金貨単位になっちゃうんですよね」

金貨一枚、一万ラタグ。日本円換算なら十万円である。三百ラタグで青海亭に一泊できることを考えるとかなり高価だ。

「売れなかったら、有人コインランドリーでも始めればいいんじゃない？」

「有人？　お金とって洗濯機で洗濯してあげるサービスですか？　孤児院の子供たちのアルバイトにいいかもしれませんね。売れなかったら考えてみます」

洗濯物を干した美咲は、茜を伴い、再び傭兵組合を訪ねた。

「あれ？　ミサキさん、なにか忘れものですか？」

掲示板の依頼を整理していたシェリーが、美咲を発見して寄ってくる。

「んー、ちょっとね。組合長いる？」

「えーと、少々お待ちください」

シェリーは小走りに組合長室に向かった。

それを見送り、美咲は掲示板の依頼票を眺めはじめた。

「なんだろ、この依頼？」

雑貨屋アカネで取り扱っている商品の代理購入の依頼が目に入った。依頼料は子供のお小遣い程度である。

「あー、うちの商品、おひとり様三つまでって数量制限してるから、多分、転売目的の人が依頼出したんでしょうね」

「依頼代金払っても転売で儲けが出るのかな？」

「……王都の市場での値段を考えると儲けが出そうですね」

美咲と茜がそんなことを話していると、シェリーが戻ってきた。

「ミサキさん、お待たせしました。組合長がお会いするそうです」

「ありがと」


組合長室に入るとゴードンがふたりを出迎えた。

「おう。なにかトラブルでもあったか？」

「いえ。えーと、王都で回復の魔道具が開発されたのはご存知ですか？」

「……ああ」

美咲の問いに、渋い顔をしながらゴードンは短く答えた。

組合員の怪我に悩まされていただけに、ゴードンは回復の魔道具の話を聞き、それに期待していた。しかし、魔法協会の指示通りに配布された結果、傭兵組合まで回ってこなかったのだ。

魔物と戦う最前線を自負するゴードンにとって、それは納得しがたいものだった。

「それじゃ、その開発に私と茜ちゃんが絡んでいることはご存知ですか？」

「そうなのか？」

「ええ、お手伝い程度ですけどね。それでですね。私たちも回復の魔道具をいくつか持っているので傭兵組合に寄付しに来たんです」

美咲の言葉を聞き、ゴードンは複雑そうな顔をする。

「そりゃありがたいが、貴重なものだ。いいのか？」

「傭兵の命のほうが貴重ですから。というか、私たちが独占していたからって、意味のあるものでもないですし」

必要なら呼び出せるし、なんならポーションも使える美咲たちにとって、回復の魔道具は持っていなくても別段困らないという位置付けの道具だった。

「……感謝する。それで、その魔道具は？」

収納魔法でしまっておいた回復の魔道具を取り出し、ゴードンに見せる。

「これです」

「……女神の口付けって名前だって聞いてたんだが、どこが女神で口付けなんだ？」

レンズの入っていない大きめの虫メガネのような外見にゴードンは首を傾げ、美咲の黒歴史に触れた。

「そっ！　……それは秘密です」

思わずゴードンから顔を背ける美咲だった。

◆

翌日は、ミサキ食堂再開のための準備にあてられた。

食器類をすべて洗い、釣銭用の小銭を用意する。

メニューはいままで通りパスタ各種、ラーメン二種類にカップスープである。それとメニューには載せないがプリンは冷蔵庫に常備しておく。

「茜ちゃん、なにか呼び出しておいてほしいものある？」

「んーと、甘味、雑貨は十分にアイテムボックスに入ってますね。あ、前に作ってくれた味噌ラーメンとか欲しいです」

「味噌？　ああ、生麺のだね。スープもいろいろあるよ」

生麺にスープ各種を呼び出し、茜に渡す。ついでとばかりに、チャーシュー、もやしも呼んで渡しておく。

「ありがとーございます」

「そういえばこういう細々したものって、小川さんたちには渡してないんだよね」

「王都ではロバートが料理してましたしねー」

ミストの町では美咲が食事を作ることが多いため、いろいろと思い出してはレパートリーを増やすことができているが、王都では上げ膳据え膳で美咲が厨房に立つことはほとんどなかったため、小川たちには頼まれたもの以外は渡していない。

年末年始のようなイベントでもあれば別だが、そうでもなければ、日常買っていたものを気を利かせて渡すのは難しい。

「小川さんと広瀬さんの好物ってなにか知ってる？」

「お酒ですかねー」

間髪を容れずに答える茜に、美咲は、ああ、と納得する。

「そうなるよねぇ。茜ちゃんみたく欲しいものを言ってくれれば、渡せるかもしれないんだけどね。今度会ったときに聞いてみようかな」

「戻ってきたばかりで、もうおにーさんたちが恋しいんですか？」

「や、そういうのじゃないから」

「そーでした。美咲先輩はアルの側室候補でしたねー」

「それも違うから」


翌日、ミサキ食堂は事前告知もなく、静かに開店した。

「今日は開いてるな」

「いらっしゃいませー。あ、ベル、久しぶり」

開店してすぐに、懐かしい顔が入ってきた。

地竜駆除の際に、ミストの砦で一緒に籠城したベルである。

「ん。ミサキとは地竜駆除以来か。噂はいろいろ聞いてるよ。地竜のあとも大変だったみたいだな」

こんな男らしい口調だが、これでもベルはポニーテールがよく似合う女性である。

「虎とか亀とかねぇ。あ、ご注文、お決まりでしたらどうぞ」

コップに水を注いでベルの前に置くと、美咲は店員モードに切り替えた。

「えーと……メニューが変わってるんだな。んー、辛《から》めのパスタがいいんだけど」

「なら、ペペロンチーノがお薦めかな。あ、カレーパスタってのも辛くて人気だね」

ベルは少し考え、美咲に注文をする。

「じゃ、カレーパスタ。王都の神殿で巫女もやったんだって？」

「茜ちゃん、カレーパスタひとつ。あー、キャシーに聞いた？」

この世界にも守秘義務はあるが、個人情報保護法などは存在しない。

アルバートが口止めをしていなければ、美咲と茜の巫女選定は格好の噂話の的になる。

実際、アルバートは自分の身分については関係者に箝口令《かんこうれい》を敷いたが、それ以外についてはなにも制限をかけていなかった。

巫女の選定のために女官として雇われたキャシーであれば、選定に至るほとんどの経緯を知っているし、女官の手配をした傭兵組合でも、情報を押さえている者がいてもおかしくはないと美咲は考えた。

「〝青いズボンの魔素使い〟が巫女に選定されて王都に連れてかれたってね。酒場では結構噂になってたよ」

「まあ、衣装合わせとか、作法の勉強で時間がかかっただけで、大したことをしてたわけじゃないんだけどね」

美咲の答えに、ベルは頷くと少し声を潜めた。

「ところで最近アンナには会ったか？」

「うん。一昨日、フェルと一緒に来たけど？」

「アンナ、傭兵を引退するって噂があるんだけど、なにか言ってたか？」

「え、初耳。結婚でもするの？」

美咲はアンナの様子を思い出してみたが、プリンに夢中になっているところしか思い出せなかった。体を壊しているような様子もなかったことから、これが噂に聞く寿退社なのだろうかと首を傾ける。

「いや、理由がわからなくてさ。ちょっと前から噂だけ聞いてるんだけど、本人が捕まらなくてね」

傭兵が引退すると言うのは、かなり珍しいことだ。

なにしろ傭兵組合とはいってもその仕事は多岐にわたり、戦えない傭兵でも仕事を探せるのだ。

美咲の周りだと、雑貨屋アカネで働いているブレッドがそうだ。片足を悪くしたが傭兵として茜に雇われて、雑貨屋の店長をしている。

傭兵組合の加入費用は三百ラタグ、年会費は百ラタグなので、四年以上にわたって傭兵活動をしないということであれば引退する意味もあるが、再加入すると最下級である紫からのスタートとなってしまうため、数年仕事をしなくなる程度であれば、やめないという者も多い。

「アンナって、いま青だっけ？」

「いや、地竜のあとで緑になってる……んー、やっぱりデマかな」

「フェルなら知ってるんじゃない？　昨日アンナと一緒にいたし」

「そうだな。パスタを食ったらちょっと捜してみる」

◆◆◆

ミストの町から見て南、白の樹海の手前には、『白の樹海の砦』と呼ばれる砦がある。

美咲がこの世界に来て、初めて見付けた建造物だ。

樹海の開拓が進めば独自の名前を与えられるはずだったが、樹海付近の魔物の多さから開拓は滞り、名前が与えられないまま、現在は魔物警戒用の砦として利用されている。


「最近、静かだな」

砦の隊長ニールは、最近の報告書を眺めながら呟いた。

その呟きを拾ったジェフは肩を竦めた。

「いいことじゃないですか。目視できる限り魔物がゼロなんて、数えるのが楽でいいですよ」

砦には見張り櫓《やぐら》があり、常時、そこに一名が配されている。

見張り櫓から見える範囲に魔物がいないかを確認し、発見した場合は数を数える。

一日あたり十体以下なら問題はないが、それを超える数が現れた場合、魔物あふれの可能性があると見做《みな》して狼煙の魔道具でミストの町に危険を知らせる規則だ。

「少なすぎるとは思わんか？　……いや、まあいい。それよりジェフはそろそろ寝ておけ。夜番で居眠りなんぞするなよ」

「了解……早く王都に帰りたいっすね」

「あともう少しだ」

「さいですか……それじゃ、自分はもう寝ます」

任期は一年半。

本来は四名で三交代のはずだが、欠員が出たまま砦での生活が始まっていまに至る。

途中、欠員補充の話もあったのだが、流れて久しい。

だが、その任期ももうすぐ終わる。

「王都に戻ったら、あいつらに美味いもんでも食わしてやらんとな」

ニールは報告書をまとめ、そう呟くのだった。

◆

美咲がこの世界に来てから、そろそろ一年が過ぎようとしていた。

当時の美咲はこの世界の暦を知らなかったので、この世界に来た正確な日付は不明だが、まだ肌寒い時期に樹海を彷徨《さまよ》い、初夏を迎える前には〝青いズボンの魔素使い〟と呼ばれるようになっていたことを覚えていた。

「早いなぁ」

「なにがですか？」

厨房で誰にともなく呟く美咲。

その呟きに茜が反応した。

「私がこっちに来て、そろそろ一年だなぁって思ってね」

「あー、そういえば私も二年近いですね。これ以上増えないといいですね、日本人」

広瀬、小川、茜、美咲は、ほぼ一年おきにこの世界に転移してきた。

時期的には、そろそろ次の頃合いと言えなくもない。

「そうだね。万が一、次が来たら、早く見付けて保護してあげないとね」

初めてこの世界に来た頃のことを思い出し、美咲は身を震わせた。

広瀬に発見されなければ、いまでも自分の能力について誰にも話せず、孤独なままだったかもしれない。それを思い、同じ孤独を抱えるであろう同胞を助けなければと美咲は決意した。

「あ、でも、神託だと、魔素の循環はそろそろ復活するんですよね？　そうすると次は来ないかもしれませんね」

「そうだね、それならいいんだけど……さて、今日はお客さん来ないし、そろそろ閉めようか」

「ですね。あ、そうだ、美咲先輩に質問です」

茜がはいっと手を挙げた。

「なに？」

「去年の夏って暑かったですか？」

「ん？　んー、日本ほどじゃないかな。エアコンなしでも、それほど苦痛じゃなかったし」

エアコンがないから我慢した、というわけではなく、エアコンが必要と感じるほど暑くならなかったのだ。厨房は熱がこもるのでそこそこ暑くなるが、それでも耐えられないほどにはならなかった。

「やっぱりそーですよねー」

美咲の答えに、茜が少し残念そうな顔でそう言った。

「なんでそんな質問を？」

「いや、回転する魔道具で扇風機とか作ったら売れないかなーって思ったんですよね」

「んー、作ってみれば？　暑がりなら欲しいって思うかもしれないし。だけど茜ちゃん、これ以上儲けてどうするの？」

この世界の基準では、すでに茜は贅沢をしなければ一生のんびり暮らせるだけの資産家である。

「儲けたくてやってるわけじゃないですよ。リバーシ屋敷を維持するには使用人の給料分は稼がないとですけど……美咲先輩だって贅沢しなければ、あとはのんびり生きていけるのに食堂やってるじゃないですか」

茜ほどではないが、美咲もなんだかんだで金持ちである。そして、自分の食い扶持は呼び出した食べ物で賄えば、ミサキ食堂という住居がある美咲は、働かなくて食べていけるのだ。

「食堂はこの世界の常識を学ぶための場だからね。本当は、この町に学校があるなら通いたいところなんだけど」

「学校ですか？　王都にならありますけど……引っ越します？」

「んー、神託でミストに戻れって言われてるし、この町、好きなんだよねぇ」

「そーですか。学園生活編とかも、テンプレなんですけどねー」

少し残念そうに茜はそう言った。

あるいは美咲と一緒に学園生活を楽しむことを空想したのかもしれない。


茜が学校の話をした数日後の午後のことだった。

商業組合のマギーが茜を訪ねてきたのだが、茜は工房に出向いていて留守だった。

「茜ちゃんならいまは出かけてるけど」

美咲がそう答えると、マギーは手に持っていたトートバッグを美咲に手渡してきた。

「それではこれをアカネさんに渡していただけないでしょうか」

「いいですけど、なんですか、これ」

馴染みのあるような重さに、美咲は思わずそう聞いていた。

「王都にある学校の教科書です。商業組合に、学校に通っていた者がいたので借りてきました。アカネさんが読んでみたいとのことでしたので」

「教科書？　茜ちゃん、この前の話を本気にしちゃったのかな……私も見せてもらっていいですか？」

「ええ、構いませんよ」

マギーが帰ったあとで、美咲は自室に戻り教科書を眺めた。

表紙は革を使ったそこそこ重厚な作りである。ただし教科書自体の厚みはそれほどではない。

表紙をめくってみると、中は羊皮紙ではなく藁半紙が使われている。また、内容は印刷ではなく手書き文字だった。挿絵が入っている部分は、版画刷りのようになっている。

そしてその内容はというと。

（結構勉強になるかも）

数学は算数レベルだが、国語は基礎教養なのだろう、この世界の有名な作品が紹介され、それらが書かれた時代背景などについても記されている。

社会はなぜか国内の地図は記載されていないが、近隣国の地理と、国内の歴史についてが記されていた。

それと、おそらく商業組合で借りたからだろう、商法が記載された教科書があった。

理科に該当する教科書はない。

「歴史は神話と史実の区別がつかないな……あ、そか、神様実在してるんだっけ」

そのまま美咲は、茜が帰ってくるまで教科書を読みふけった。


雑貨屋アカネの客層は、多くを傭兵が占めている。

代理購入の依頼を受けて手鏡のような貴重品を買いに来る傭兵と、自身が本当に欲しいものを買いに来る傭兵だ。

後者は多くの場合、トートバッグやノート、缶詰などを買いに来るので簡単に見分けが付く。

傭兵以外だと、商業組合の者がノートを買いに来ることが多くなりつつある。普通の、というと語弊があるかもしれないが、普通の住民の来店はまだ少ない。だが町の住民には、布製品と缶詰が人気があるようだった。

今日も平常運転で、傭兵の客が多かった。

ブレッドは椅子に座ったまま、グリンに品出しと、戻ってきた空き缶の処理を指示し、売り上げノートになにがいくつ売れたのかを記入した。

「ブレッドさん、空き缶の袋詰め終わったよ」

「おう。それじゃ、今日はそろそろ閉めるぞ」

「うん、看板しまってくる」

グリンは表に立てかけてあった看板を店内にしまう。

看板が出ていれば営業中、そうでなければ準備中というシステムは食堂と一緒だ。

「じゃあ、店の鍵をかけるぞ。グリン、アカネさんに、空き缶が溜まってきたから引き取りに来てほしいって伝えといてくれ」

「わかったよ。それじゃまた明日」

「こんにちはー！」

ノックの音と元気な声に、美咲は教科書から顔を上げた。

「グリンの声？　はーい、ちょっと待って！」

食堂に下りると、グリンが待っていた。

「あ、お姉ちゃん。アカネさんいませんか？」

いつになく丁寧な言葉遣いのグリンである。

客商売を始めてから、ブレッドに矯正されているのだ。衣類がボロなのは変わらないが、意識して綺麗に洗濯したものを着るようにもなっている。

「ん？　工房って言ってたけど、どうしたの？」

「えーと、空き缶が溜まってきたから、明日にでも引き取りに来てほしいってブレッドさんが言ってました」

「なるほど、帰ってきたら伝えとくね……あ、ちょっと待って」

厨房に戻り、冷蔵庫から市場で買った肉を取り出す。

「これ持ってって。残り物だから」

「いつもありがとうございます」

「うん。みんなによろしくね」


茜が帰ってきたのは日が暮れて少し経った頃だった。

この世界では、人は皆、早寝早起きである。日が暮れてから帰ってくるというのは、帰宅時間としてかなり遅い部類である。

「遅かったね。なにかあったの？」

「ちょっと工房で扇風機の話をしてたら遅くなっちゃいました」

「そっか。マギーさんとグリンが来たよ。マギーさんは教科書を持ってきて、グリンは空き缶が溜まったから明日にでも引き取りに来てほしいって」

わかりました、と茜は頷く。

「教科書、どんなのかな……読みました？」

「うん、読ませてもらったよ。読むだけでも勉強になったかな、特に歴史とかね」

史実なのか神話なのか、判断がつかない部分も多かったが、読み手の興味を引くように上手に書かれていた。

「歴史ですか？　ちょっと意外です」

「偉人の名前とかは覚えられなかったけど、歴史の流れとかはわかりやすかったかな、読み物としてもよくできてたよ。と、お腹空いてるよね。ご飯は炊けてるけど、食べる？」

「はい、いただきます」

茜は洗面所で手を洗うと、厨房で鍋の蓋を開けてみる。

立ち上る白い湯気は野菜と和風出汁、キノコの匂いがする。

「おかずは……野菜鍋？」

鍋の中には白菜と人参が見えた。

「鶏肉も入ってるけどね。あと、別の鍋でがんもも煮といた」

「わ、あれ甘くて好きです」

「じゃ、食べようか」

美咲は食器棚から器を取り出し、茜に手渡した。

◆◇✳◇◆

白の樹海には白狼の群れが棲みついている。

単体なら十分に接近すれば通常の魔法でも効果があるし、腕のよい魔剣使いならひとりでも倒せない相手ではないが、群れをなして襲ってこられると、人間を含めたほとんどの生き物は餌にされてしまう。

特に見通しのきかない樹海の中では、白狼たちの機動力と嗅覚と、遠吠えによる意思伝達は強力だ。

白狼は白の樹海という環境における、食物連鎖の頂点に君臨する生き物だった。

当初、その奇妙なトカゲたちも、白狼たちにとっては餌でしかなかった。

木々の間を飛び跳ねる俊敏性を持ったトカゲは、白狼に食らい尽くされるには至っていなかったが、地面に下りれば、白狼にとってはいい獲物でしかなかった。

だが、あるとき、その力関係が逆転した。

トカゲは木々の間から上空に飛び立ち、白狼に向かって炎を噴いたのだ。

白狼は、狩る側から狩られる側となった。

最初は数頭のトカゲだけが空に舞った。

しかし、その数は日を追うごとに増えていく。

そして、白の樹海の砦からトカゲの姿が発見されるようになるまで、そう時間はかからなかった。


白の樹海の砦、朝番のランスは、それを見たとき、まず己の目を疑った。

しかし、長年訓練され、体に染み付いた習慣で即座に半鐘を鳴らしはじめた。

鐘の音を聞きつけ、ニールが飛び出してくる。

「どうした！」

「白狼の群れが多数こちらに逃げてきています。追っているのは……大きな鳥……いえ、鳥じゃない……トカゲ？　違う、火を噴いた……飛竜、飛竜です！　飛竜の群れです！」

砦の外壁の梯子を上りかけていたニールの手が止まった。

「もう一度頼む」

「白狼の群れ多数が森から逃げてきています。それを追って火を噴く飛竜の群れ……飛竜は白狼を喰っています！」

それを聞いたニールは梯子を上るのを止め、中央塔の隊長室に駆け込むと、狼煙の魔道具を作動させた。

狼煙の魔道具は、その性能を遺憾なく発揮し、中央塔の直上に真っ赤な煙を噴き上げる。

それを確認したニールは、外壁の梯子に取り付き、上りはじめる。

「……白狼を喰らうほどの飛竜の群れ？　ミストじゃそんなの想定してないぞ！」

王都であれば塀の上に石弩などが設置されているが、ミストの町にある飛び道具は槍や弓程度で、魔物を想定したものではない。その程度の武器で空を飛ぶ魔物に対抗できるはずもない。

梯子を上り終えたニールは、今度は見張り櫓に上りはじめる。櫓に上ったニールはランスの横に立つと、周囲を見渡して呆然とした。ランスの言った通り、飛竜が白狼を襲っている。

飛竜に前肢はなく、代わりに翼のような大きな皮膜をもち、それを使って自在に空を飛んでいた。その動きは白狼を翻弄するほどに速く、白狼の爪と牙が届かない高さから炎を噴いて白狼の動きを止め、そのまま炎でとどめを刺してからその肉を啄《ついば》んでいる。

白狼を持ち上げて飛ぶほどの力はないようだが、その牙と爪は鋭く、口から噴かれる拳ほどの大きさの炎の塊は白狼の毛皮を貫いていた。

「……ランス、監視はもういい。地下に籠城するぞ！」

「ですが！　持ち場を離れるわけには！」

「櫓の上なんぞ、奴らからしたら格好の餌場だ！　まず生き残れ！　下りたらジェフを叩き起こして地下に行け！」

「了解！」

大声で交わしたやり取りが飛竜の注意を引いたのだろう。一頭の飛竜がランスとニールに襲いかかってきた。

それを見付けたランスは迫り来る飛竜に向けて矢を射るが、その鱗に弾かれてしまう。

「隊長！　効きません！」

「ここは俺に任せて先に下りろ！」

ランスが梯子に取り付くのを横目に、ニールは剣を抜き、飛竜に向けて構えた。

届くはずもないが、ブンブンと大振りに剣を振り回す。

それを嫌ってか、空中で飛竜が大きく距離を取る。

ランスの姿が砦の中に消えたのを確認し、ニールは梯子に取り付く。その隙を好機と捉えたのだろう、再び飛竜がニールに襲いかかり、至近距離から炎の塊を噴く。ニールは炎に貫かれるよりはと、梯子から手を放して落下し、下の兵舎の屋根にぶつかりながら落ちていった。

狙っていた獲物が見えなくなった飛竜はぐるりと輪を描いたあと、砦から離れて白狼狩りに戻っていく。

「隊長！」

「だ、大丈夫だ。あちこちひどく打ったが生きてる……だが、動けそうにない。すまんが屋内まで肩を貸してくれ」

「はい……ですが、あんな魔物が相手ではミストの町は……」

「そうだな……どれだけの被害が出ることか」

白の樹海の砦の狼煙はミストの町から観測された。

色は赤。緊急事態を知らせるものである。

狼煙の観測手は、代官であるビリーと傭兵組合長であるゴードンへと伝令を走らせた。

ビリーはミストの町北側に広がる耕作地帯で農作業に従事している農夫に対し、門内への退避命令を出し、閉門を指示した。

門の外で育てられている家畜も門内に追い込まれ、農夫たちも門内に避難した。

ゴードンは半鐘を使って町にいる全傭兵に招集をかけ、近くにいた中堅の傭兵数人を偵察に出した。

ぞろぞろと傭兵組合に集まってくる傭兵たちを見ながら、ゴードンは安堵の溜息をついていた。

美咲は王都から帰ってきている。ゴーレム戦で頭角を現した茜もいる。

女神の口付けという回復の魔道具もある。

いままでで一番充実した戦力で事態解決にあたることができるのだ。

「油断は禁物だが……今回は楽な戦いになりそうだ」

ゴードンは小さく呟いた。

ゴードンが異常を感じたのは、それから一時間ほど経過してからだった。

「偵察が戻ってこない……なにも見付けられない場合でも、そろそろ帰還しているはずだが……フェルとミサキを南側の塀に上げて警戒させろ！」

偵察隊全員が時間を忘れて偵察に没頭しているとは考えにくい。であれば、なにかがあったと考えるのが妥当だろう。杞憂であるならそれでよい、とゴードンは指示を出した。

伝令の伝えた指示に従って傭兵たちが塀の上に上っていく。その中にはフェルと美咲の姿もあった。

春とはいえ、まだ肌寒い。

「フェルに言われてカイロ持ってきて正解だったよ……塀の上は風が強いね」

「塀の上は吹きっさらしだからね……あ、大きな鳥見っけ」

ほかにも弓持ちの傭兵が気付いたようで、指を差して騒いでいる。

「どこどこ……あ、本当、大きいねぇ……って、鳥？」

美咲の知識に照らし合わせると、それは強いて言えばプテラノドンが一番近い。どう見ても鳥には見えなかった。だが美咲にはこの世界の生物全般の知識が不足していたため、その違和感を指摘することができなかった。

「空飛んでるんだから鳥でしょ？　って、なにか群れてるね？　え？　火、噴いた？」

「やっぱり異常だよね？　火を噴いてるし、あれって鳥じゃないんじゃない？」

「だ、誰か伝令をお願い！　火を噴く竜が空飛んで、群れなしてるって組合長に伝えて！」

フェルの声に、数人が走り出した。

「火を噴く飛竜だと！」

ゴードンは事態のまずさに思わず怒鳴った。

ミストの町の周辺では、いままで空を飛ぶ魔物の目撃例はなかった。そのため、飛行種に対する防備はほとんどされていない。

もちろん、弓矢や投げ槍はあるし、魔法もある。だから、手が届かないところにいる相手に対してまったく手が出ないということはない。しかし、矢や槍は鋼鉄製で、魔物に対する効果は薄い。そしてなにより、地を這う魔物と違い、空飛ぶ魔物が相手では、容易に塀を越えることを許してしまう。そうなった場合、下手に攻撃をすれば町にも被害が及ぶ。

屋内にこもってやり過ごせればよいが、相手は火を噴くという。

ミストの町の大半の家屋は半木造だ。町が火の海になれば住民は避難を余儀なくされ、屋外に避難すれば空飛ぶ魔物の獲物となり、被害は拡大する。

塀を越えられる前に敵を全滅させなければならない。

いくつかの指示を飛ばしながら、ゴードンは唸るように呟いた。

「フェルとミサキに頑張ってもらうしかないか」

ゴードンの指示で、屋外にある可燃物、主に薪の類いが屋内に片付けられた。

可能な場所では建物そのものにも水をかけるよう指示が出されたが、こちらは捗々《はかばか》しくない。

水の魔道具があるとはいっても、水圧で水を飛ばせるようなものではない。建物に水をかけるには屋根に上って上から水を流すしかないのだ。そしてまた、同時に出された屋外に出ないようにという指示とぶつかって、混乱が生じていた。

その混乱の中に茜もいた。

一度は傭兵組合の指示に従って南の塀の前に集合したものの、それ以降指示がなく、業を煮やした茜は傭兵組合に駆け戻り、シェリーを捕まえて指示を仰いだ。

「私はどこの塀に上ればいいんですか？　攻撃力ならちょっと自信がありますよ！」

シェリーは手元の大学ノートを確認した。

魔剣持ちは南門の手前に配置した。主力のミサキとフェルは南の塀中央に配されている。

魔物が来るとしたら南からだ。南の塀の防備を厚くしなければならないと結論付ける。

「アカネさんはえーと、南の塀に上って右側のほうお願いします」

「南で右、南西ってことですね、了解！　あ、運ぶものあったら持っていきますけど？」

「荷物は別に送ってありますので大丈夫です」

「それじゃ、行ってきまーす！」

傭兵組合に、偵察に出していたメンバーが戻ってきたとの報告が届いたのはそんなときだった。

ただし、偵察の結果は芳しくなかったようである。

通常なら、魔物の種別と数を伝令が持ってくるはずだが、伝令が伝えたのは偵察の帰着でしかなかった。

「それで偵察隊はどうしたんだ？」

「いま傷の治療を受けています。飛竜を誘引しないように林の中を走ってきたそうです」

「……どこで治療を受けている？」

「は？　東門ですが」

「こちらから出向く。とにかく情報が足りん！」

東門では、治療院から駆け付けてきた施術士が、女神の口付けを用いて、偵察から戻ったフランクの治療にあたっていた。

フランクは背中に火を吐かれたが、背負っていた荷物を捨てることでなんとか林に逃げ込み、そのまま走ってきたとのことだった。その背中は広範囲にわたって焼け爛れており、女神の口付けがなければ、あるいは危険な状態になったかもしれない。

「……自分以外は林の中で身を隠しています。それで飛竜ですが、白狼を狩っています。白狼は飛竜に喰われていました……ともに数は数えきれません。飛竜は火を噴き、その火はかなりの遠距離からでも白狼を貫いていました」

炎槍などよりも高威力で炎の速度も速かったと、フランクは背中の痛みに耐えながらゴードンに伝えた。

「そうか。白狼はこちらに逃げてきているのか？」

「いえ、飛竜は白狼を包囲しているようでした。包囲して、攻撃して、力尽きた白狼を喰っているように見えました」

最悪の中で、それは唯一のよいニュースであった。

飛竜の目的が白狼であれば、狩り尽くしたあと、巣に戻っていくかもしれない。

僅かでも時間を稼ぐことができれば、多少は防備に力を注ぐこともできる。

「塀の上の全員に緊急通達！　飛竜にこちらから手を出すことは禁ずる！　向こうから攻撃されるまでは息を潜めてできるだけやり過ごすことを考えろ！　相手は白狼の群れを餌にするような化け物だ。絶対にこちらから手を出すな！」

伝令が走っていくのを確かめると、ゴードンはその場でわかっている情報を書き出した。

万が一に備え、情報を王都にも伝えなければならない。

「北門から王都に向けて早馬の用意をしてくれ。北門からなら飛竜に見付からずに出られるだろう」

◆

白狼は飛竜に追い込まれ、逃げ場を失っていた。

白の樹海から追い立てられるように草原に逃げ出したことが白狼の運命を決めてしまった。

樹海の中でさえ厄介だった飛竜は、遮蔽物のない草原では無敵だった。

飛竜の群れは上空で輪を描くように飛び、その輪の外に逃げようとする白狼目がけて炎を噴いてくる。

炎に焼かれて足が止まった白狼には炎の攻撃が集中してとどめが刺される。とどめを刺された白狼は降りてきた飛竜に啄まれる。

そうやって、かつて白の樹海の食物連鎖の頂点に君臨していた白狼は、その数を減らしていった。


「揺り返しって、これのことかな……いくらなんでも無茶でしょ」

遠目に飛竜と白狼の戦いを眺めながら、美咲は呟いた。

「ミサキ、なにか言った？」

「ううん。厄介な相手だなって独り言」

すでにゴードンからの手出し禁止の指示は届いていた。

弓を持った傭兵が、ギリギリ届きそうだと言って、試射しようとしているところだったので、かなり際どいタイミングだった。

塀の上で体を低くして飛竜を観察しながら、美咲は空からの攻撃からミストの町を守る方法について考えを巡らせていた。

以前、バリアについて考察したことがあった美咲だったが、当然ながらひとりで町を守り切るような広範囲なバリアは構築できない。

多人数でならとも考えたが、バリアの概念を共有できるのは美咲のほかには茜くらいしかいないのだ。現実的ではない。

「ねえフェル、空を飛ぶ魔法ってないのかな？」

「聞いたことないけど……確か、この前発表された魔法の三原則では、自身には魔法が使えないってことだから、やるとしたら魔道具でってことになると思うけど？」

「あー、うん。そうなるか」

魔道具でとなると、コントローラーを使って方向を指示するような仕組みにしなければならない。鳥のように自由自在に空を飛ぶのは難しいだろう。

仮に実現できたとしても、自由に空を飛び火を噴く相手に対して、それでは同じ土俵に立てたとはいえない。

それに、そもそもいまから準備して間に合うはずもない。

「ねえ、ミサキ。あれだけの数、倒せると思う？」

「正直言って、全部は厳しいと思う」

「だよねぇ……弓が効けばいいけど」

飛び回っているため、正確な数はわからないが、飛竜の数は三十前後だ。

仮に、その鱗が白狼の毛皮並みの魔法耐性を持つと仮定すると、美咲とフェルの組み合わせで有効射程は百メートル。茜が単独で五十メートル。普通の魔法使いはその半分。空を自由に飛ぶ敵に対して十分な射程があるとは言いがたい。

美咲にはレールガンという隠し玉があるが、それを使わざるを得ない状況かもしれない。

「……フェル、ちょっとお手洗い行ってくるね」

「ん。早く戻ってね」

美咲は塀から下り、人目に付かない物陰でアイテムボックスからレールガンの弾体である錘《おもり》を三十個ほど取り出し、上着のポケットに詰め込んでから、再び塀の上に戻った。


白狼の群れは全滅した。

飛竜たちは白狼の屍を啄み、それでも足りぬと上空に舞い上がった。

白の樹海にはもう大した獲物は残っていない。

向かうべきは北だった。

そしてその方向にはミストの町があった。


「ねえ、ミサキ、あれ、こっちに向かってるように見えない？」

「見える……けど、手を出すなって指示が出てるよね」

「……でも、塀の上って全然安全じゃないよね？」

「身動きせずにやり過ごすしかないね」

塀の上でできるだけ体を小さく丸めながら美咲が答える。

真正面からぶつかって勝てないと判断された以上、やり過ごすのが最善の策である。

飛竜が美咲たちの直上を通過した。

ミストの町に侵入を許してしまったが、このまま抜けてくれれば、という祈りとは裏腹に、飛竜はミストの町上空で輪を描き出した。

「駄目っぽいね。フェル、飛竜は獲物を狙いはじめたよ。これ以上待っても無意味だよ」

「降りてくるところを狙おう。魔素のライン、お願いね。それを見て、こっちで炎槍を乗っけるから」

「うん」

ひらりと飛竜が舞い降りた。その一秒後の到達予想位置に向け、美咲は魔素のラインを張る。

「炎槍！」

一瞬で炎の槍が飛竜に到達する。

翼を貫かれた飛竜が落下した。

「やたっ！　さすがフェル」

上空を飛んでいる飛竜が口を開き、炎を噴いた。

炎は、伝令であろうか、町中を走っている人影に当たるが、運良く防具で守られているところに当たったのだろう、その人影は転げるようにして近くの建物の陰に逃げ込んだ。

「……近くに降りてこないと届かないよ」

ミストの町は一辺の長さが五百メートルの正方形である。有効射程百メートルでは、ミストの町の大半は射程の外になってしまう。

「どうする、ミサキ。町の中央に移動しようか？」

中央近くに移動できれば、直径二百メートルの円内が射程となる。

塀の上にいるよりも倍の面積をカバーできる。

「ミサキ食堂の屋上から狙うとか？　でも……」

「うん……問題はそこまで移動できるか、だよね」

敵は上空から炎を噴いてくるのだ。警戒しながら移動するのは少々無理がある。

そして、移動できたとしてもミサキ食堂の屋上では身を隠す場所すらない。

美咲は、手札を晒すことを決断した。

「フェル、いまから私の新魔法で飛竜を狙うから、私の後ろに立っててもらえるかな」

「インフェルノじゃ届かないよ？」

まだ魔素のラインを使ったほうが有効射程は長いとフェルが言うが、美咲は首を横に振った。

「だから新魔法。レールガン……長射程の新魔法。目に見える範囲ならたいていの生き物は倒せると思う」

「……わかった。信じるよ」

「うん、信じて」


上空で円を描くように舞い飛ぶ飛竜の群れ。

その群れに、美咲は狙いを定めた。

「魔素で仮想レールを形成、魔力励起。レールに弾体をセット」

レールガンの弾体である鉄の錘をポケットから取り出し、右手に持って手を思いっきり伸ばす。

「通電！」

ドン！　という音とともに弾体である錘が飛竜に向かって発射された。

直撃したのか、それとも衝撃波で目を回したのか、同時に五頭の飛竜が落ちてくる。

高さ十五メートルほどからの落下だ。地面に叩き付けられれば生きていたとしても、二度と空には舞い上がれないだろう。

「ミサキ、凄いよ！」

「魔素消費が大きいから、どれだけ落とせるかわからないけど、やれるだけやってみるよ」

「うん、頑張れ」

「魔素で仮想レールを形成」

四頭の飛竜がなにかに気付いたかのように美咲のほうに向かって飛びはじめた。

「魔力励起。レールに弾体をセット」

先頭の飛竜が口を開き炎を噴き出す。

「通電！」

ドン！

撃ち出された弾体は炎ごと先頭の飛竜を貫き、後ろに続く四頭の飛竜に直撃した。

直撃を受けた飛竜たちはその場で四散した。その後ろで輪を描いていた飛竜たちも衝撃波を食らい、フラフラと落下しかけている。

「凄い……私も使えないかな」

「日本の知識がないと無理だと思う……」

「ニホンか、行ってみたいな」

「私もだよ」

美咲を群れに対する脅威と認識したのだろうか、群れ全体が美咲たちのほうに近付いてきていた。

周囲の塀の上から、援護のつもりか、炎槍が撃ち出されはじめる。

なかには、炎槍の直撃を受けて落ちる飛竜も出ていた。

どうやら距離さえ開かなければ、普通の炎槍でも十分に効果があるようだ。

「ミサキ、来たよ！」

「魔素で仮想レールを形成、魔力励起。レールに弾体をセット」

飛竜たちが一塊になって美咲に向かって襲いかかる。

だが、それはレールガンの弾道に群れが収まるということで。

「通電！」

直撃を受けたもの、直撃ではなくとも至近でレールガンの余波を食らったものはすべて地に落ちた。

大量の飛竜の残骸が空からミストの町に降り注ぐ。

群れの残りは僅か三頭。だが、その三頭はすでに美咲たちに肉薄してきていた。

いまからではレールガンは間に合わない。

「炎槍！」

「……インフェルノ！」

フェルと美咲の魔法が飛竜を貫く。

二頭が炎の槍に貫かれて落ちた。

しかし残り一頭が美咲に向かって襲いかかる。

飛竜が口を開き、炎を噴き出した。

「ミサキ！」

フェルが後ろから美咲の体を引っ張る。

美咲とフェルはもつれ合うようにして胸壁の上に倒れ込んだ。

そして真上から飛竜の爪が美咲たちを襲おうとしたそのとき。

「「炎槍！」」

塀の上にいたアンナとキャシーの炎槍が飛竜の翼を掠めた。バランスを崩した飛竜はそのまま塀の外へとフラフラと舞い降りていく。

「無事ですか！」

「大丈夫！」

そのまま飛んで逃げたのであれば飛竜は生き残ることができただろう。

だが、飛竜は地面を蹴って再び美咲たちのほうに向かって飛ぼうとしていた。

「……インフェルノ！」

そこに美咲が放ったインフェルノが直撃し、最後の飛竜も燃え落ちた。

「……お、終わったね」

「うん、ミサキの魔法のお陰だよ」

「最後、助かったのはアンナとキャシーさんのお陰だけどね……いつの間にこんな近くに？」

すぐそばに来ていたアンナとキャシーに美咲が聞くと、

「届かないなら届くところに移動するまで」

とアンナが答えた。

「アンナが急に走り出したときはどうしようかと思いましたわ」

キャシーはそう言って肩を竦めてみせた。

「お陰で命拾いしたよ。ミサキ、手を貸して」

「うん。フェルもありがとうね。危なく炎の直撃を受けるところだったよ」

美咲と胸壁に挟まれ、倒れていたフェルを引き起こしながら美咲はお礼を言った。

「気にしないで。ミサキの魔法がなかったら、ミストは全滅してたかもしれないんだから」

「凄い魔法だった。あとで詳しく」

「その前にミサキさんが落とした飛竜にとどめを刺さないといけませんわね」

落下しただけで生き残っている飛竜がいるかもしれないとキャシーが指摘した。

◆ ◇ ✳ ◇ ◆

レールガンの直撃を食らって生き延びた飛竜はいなかったが、衝撃で落下したなかには生き残っている個体も存在した。

上空の脅威がなくなったいま、傭兵たちはそうした飛竜にとどめを刺して回っていた。

全部が全部、地面に叩き落とされたわけではない。むしろ屋根に落ちたもののほうが多く、後片付けは困難なものとなった。

翼が折れ、飛べなくなった飛竜でも火を噴くことはできる。とどめを刺しに傭兵が近付いた際、飛竜が噴いた炎が家屋に燃え移ることもあり、すべてが片付いたのは夕刻になってからだった。

偵察に出たまま林に身を隠していた者の回収と治療が終わり、ゴードンは一息ついた。

なにがあったのかはわかっていない。

見ていた者は皆一様に、大きな音とともに飛竜が四散し、落下してきたと言う。

誰かがそれをしたはずだが、誰がやったのかという点になると皆、首を傾げる。

「まあ、こんなことをやってくれるのは、ミサキだろうな」

ゴードンは美咲とフェルを呼び出すように指示を出し、椅子の背もたれに体重をかけた。

◆ ✳ ◆

「まずどうやって倒したのかを聞きたい」

ふたりを前にゴードンはそう切り出した。

美咲とフェルは、ゴードンの机の前で顔を見合わせている。

「フェル、ミサキはなにをした？」

美咲がなにかをしたのだろうとゴードンはフェルに問う。

「……ミサキの魔素のラインで」

「違う。大きな音がする魔法のことだ」

「えーと……」

フェルの目が泳いでいる。

美咲は溜息をついて、一歩前に出た。

「すみません、私がやりました」

怒られる覚悟はできている。

そんな表情だった。

「……別に咎めているわけではないぞ」

「そうなんですか？　えーと、私の新開発した魔法は、射程がもの凄いんです」

美咲の言葉に、ゴードンは戸惑った。

魔素のラインが普通の魔法使いの四倍の射程を持つことなら知っている。にも拘わらず美咲は新魔法の特徴は射程が長いことだと言ったのだ。

「魔素のラインより長いのか？　どれくらいだ？」

美咲は首を傾げた。

「さあ。王都まで届くかも？」

「……冗談だろ？」

「いいえ、結構本気ですけど。ただ、狙いようがないから、そうそう当たらないでしょうけどね」

「流れ弾でも当たったら大事件だ！」

幸いにして、と言うと語弊があるが、美咲のレールガンにはそこまでの射程はない。

美咲のレールガンは、速度も音速を少し超えた程度と、レールガンにしては遅く、威力も弱い。

地球で艦砲として研究されていたレールガンの威力から、美咲はレールガンなら数十キロの射程があると思い込んでいただけである。

また仮にそれだけの射程があったとしても、衛星からの補助も弾着観測の手段もない美咲では、王都に着弾させるのは不可能に近いだろう。

「今回は上空を狙ったから、そこまでの飛距離は出ません」

「そうか……そんな魔法があると、なぜ黙っていた？」

知っていれば、もっと戦いようがあったかもしれない。そんな思いを込めてゴードンが尋ねる。

「理由はいくつかあります。まず、つい最近開発した魔法であること。魔素消費が激しいので使える回数が少ないこと。そして一番の理由が、強力すぎて、王都にバレたら徴兵されかねないことです」

「……徴兵か」

ゴードンは腕組みをして考え込んだ。

対魔物で有用な魔法であることは間違いないが、万が一戦争となれば、敵の攻撃が一切届かない距離から一方的に攻撃できる悪魔の魔法だ。威力は今回のことで実証済みである。

周囲の反応から考えるに、音しか聞こえないような魔法である。ということは、避けることも防ぐこともできない。

そこまで考えて、ゴードンは美咲の言葉に納得した。

そんな魔法を使えると知られれば、よくて徴兵、悪ければ王国に対する脅威として拘束される恐れがある。

「なるほどな。確かにいままでの魔法とはあまりに違いすぎる。そんな魔法が使えると知られたら、危険人物と判断されて王城に監禁されかねない……そんな魔法をなぜ使った？」

「ミストの町を守るために仕方なくです。もともと、そのために開発した魔法ですから」

美咲にとって、ミストの町は拠点がある町という以上に、この世界で行くあてがなかった美咲を受け入れてくれた大事な人たちが住む町であり、守りたいと思える場所になっていた。

美咲の言葉に嘘が感じられなかったゴードンは、そうか、と頷く。

「……ならばこれは俺からの礼だ。公式には魔素のラインで敵を倒したことにしておく。だが、人の口に戸は立てられない。噂になれば誰かがミサキに行き着くかもしれない。だから、ミサキ、しばらくミストの町を離れないか?」

「離れる、ですか?」

「ずっととは言わん。だが、二カ月程度は戻らないほうがよかろう……噂と同じ場所にミサキを置いておけば、いつか真実に辿り着く者が出るやもしれん。考えておいてくれ」

今回のことはいままでの美咲のやらかしとは決定的に違っていた。

いままでの美咲は、知らず知らずのうちにやらかしていたが、今回は、こうなるとわかっていた。

それなりの覚悟をしたうえで、美咲はレールガンを使うという判断をしたのだ。

だから。

美咲は、ゴードンの言葉を受け止め、静かに頷くのだった。

三章　旅路

　飛竜の攻撃があった日の晩、美咲はミサキ食堂の厨房で、茜に傭兵組合であったことを話し、しばらくミサキ食堂を閉店して町を離れると告げた。

　なぜ美咲が旅に出なければならないのかを理解した茜は、俯き、小さなこぶしを握り締めた。

「そんな……美咲先輩、全然悪くないのに……まるで追い出されるみたいじゃないですか」

「ゴードンさんも私のためを思って言ってくれてるんだし、そんなに怒らないであげてね……それでせっかくだからほかの町も見てみたいと思って。茜ちゃんは王都とミスト以外に行ったことある？」

「ないですけど……」

　平民が町から離れることは少ない。町の外は危険であり、商人や傭兵を除けば、好んで町の外に出たりはしないのだ。

　王都で商売をしていた茜にしても、美咲の存在がなければあえてミストの町まで来ることはなかったはずである。

「せっかくの未知の世界、旅してみるのも面白そうじゃない？　それに二カ月、ミストの町から逃げ出すと考えるよりも、自主的に旅に出ると思えば腹も立たないし」

　美咲の考え方の変化は、マギーから借りて読んだ教科書が原因だった。歴史を学んだ美咲は、この世界に対していままで以上に親近感を抱くようになっていたのだ。

資金は十分にある。不本意だけど時間もできた。そして行ってみたい場所もある。

「この世界にもね、海があるんだよ」

「それは……あるでしょーね」

教科書に載っていた世界地図には海があった。当たり前といえば当たり前だが、美咲はその事実に感動した。

「私は見てみたいよ、この世界の海。ねえ、茜ちゃんは見てみたいと思わない？　この世界の生命が生まれた場所だよ」

「二カ月、でしたっけ？」

「うん、春告の巫女のときと同じくらいだね」

「なら一緒に行きます。美咲先輩のいないミストの町は寂しいですから」

春告の巫女のときに数日だが、茜はひとりで留守番をした。そのときの、言いようのない寂しさを覚えていた茜に、ひとりで残るという選択肢はなかった。

「それじゃ、出発は三日後。まずは王都に行って、そこから海のほうを目指そう。教科書には国内地理がなかったから、そこは王都で調べるってことで」

「急ですねー。でもわかりました。とりあえず雑貨屋のほうは明日中に不在期間分の補充をしときます」

「それでね、今回はできたら王都までは護衛依頼を受けて行こうと思うんだ」

「おー、傭兵っぽいですねー」

　ミストの町は王都にとって、生鮮食品の生産地である。そのため、ミストの町と王都の間では、毎日のようにキャラバンが移動している。

　街道は整備され、定期的に魔物の駆除が行われているが、それでも周辺の森から魔物が湧き出してくることがある。

　その対策として、キャラバンは傭兵を護衛として雇っていた。

「あれ？　でも私ってまだ青ですけど、大丈夫なんでしょーか？」

　美咲は傭兵のペンダントはすでに緑だが、茜はまだ青である。受けられる依頼は美咲よりも限られてくる。

「さっき掲示板見てきたけど、青でもいいってキャラバンも結構あったよ」

「じゃーそれで行きましょー」

「それじゃ、私は依頼を受けてくるから、茜ちゃんは準備をしっかりとね。あ、あと、教科書も返さないとね」

「商業組合にも寄りますから、教科書は私から返しておきますね」

　傭兵組合を訪ねた美咲は、目を付けておいた護衛の依頼票を剥がしてシェリーの窓口に提出した。

「こんにちは、ミサキさん。この依頼を受けるんですか？」

「うん、茜ちゃんとね」

シェリーは依頼票に目を通す。三日後に王都までの護衛。青以上。普通ならなにも問題はない。だが、以前から美咲については、ゴードンから戦いが予想される依頼の受注制限がかかっていた。貴重な戦力として数えられる美咲とフェルのコンビを保護するための制限である。シェリーはゴードンの判断を仰ぐことにした。

「少々お待ちください」

シェリーがゴードンに、美咲が護衛依頼を受けようとしているという報告をあげると、美咲の依頼受注に関する制限は撤廃するという返事を受けた。

首を捻りながらもシェリーは依頼の受付処理を進め、美咲に依頼人のサインをもらうための羊皮紙を手渡す。

こうして美咲は無事に護衛依頼を受注し、シェリーから護衛依頼の注意事項などを教えてもらうのだった。

◆

三日後の日の出前、北門前で美咲は護衛対象のキャラバンと合流した。

数台の荷馬車をまとめる代表者はまだ若い商人だった。

「護衛依頼を受注した美咲と茜です」

「アントン・カーです。噂の〝青いズボンの魔素使い〟さんと、〝蒼炎使い〟さんに護衛していただけるとは光栄です。もうひとり、護衛が来るので、出発はもう少し待ってくださいね」

「はい」

美咲と茜が馬車の馬を眺めていると、知った顔がやってきた。

「あれ、アンナ？」

「……私は護衛。ミサキたちも？」

「うん、そうだよ、よろしくね。依頼主のアントンさんはあの人だよ」

「ありがと。挨拶してくる」

アンナの挨拶が終わるとキャラバンはミストの町をあとにした。

まだ薄暗い道を二頭立ての荷馬車がガタガタと音を立てながら走る。その速度は、人がジョギングするよりは少し速いという程度だろうか。

扱うのは鮮度が命の生鮮食品である。そのため、全員が馬車に乗っての移動となる。

護衛は全員、隊列前方の馬車に乗せられた。茜は警戒と称して駅者の隣に座っているが、美咲とアンナは馬車の荷台に乗せられている。

「ねぇ、アンナ。傭兵を辞めるって噂を聞いたんだけど？」

「……知ってる。ベルの誤報。ミストの町をしばらく留守にするだけ」

「旅にでも出るの？」

自分の境遇に重ねてそう尋ねる美咲だったが、アンナは違うと答えた。

「王都で回復魔法を学びたい」

「魔法協会で募集でもあった？」

そういえば小川さんが教育の話をしていたっけ、と美咲が聞くと、アンナは首を横に振った。

「回復魔法を開発したオガワ男爵に弟子入りを申し込む」

「小川さんとは面識あるの？」

「……ない。どこに住んでいるのかも知らない。ミサキは開発に協力したと聞いたけど、住んでる場所、知っていたら教えてほしい」

「小川さんなら王都の茜ちゃんの家に居候してるけど？」

「王都に着いたら紹介して」

「……行き当たりばったりだったんだね」

荷馬車に揺られながら、小川の話を聞きたがるアンナに、美咲は小川の人となりや、回復魔法の基礎となる魔法の三原則についてを話して聞かせた。


王都までの道のりは平穏無事だった。

午後の早い時間帯、王都の門をくぐるとアントンは馬車を止め、美咲たちの依頼票に達成のサインをした。

「ありがとうございました。ミサキさんたちのお陰で安心して運搬できましたよ」

「はい、次があればまたお願いしますね」

美咲が代表して挨拶し、アントン一行と別れた三人は、傭兵組合で依頼票を提出してからリバーシ屋敷へと向かった。

「アンナさんがおじさんに弟子入りですかー。うちの空き部屋なら好きに使っていいですからねー」

「ありがと。このお礼はいずれ」

「茜ちゃん、小川さんに許可取らなくて大丈夫？」

「おじさんなら喜ぶと思いますよ。回復魔法を広めたいって言ってましたし」


リバーシ屋敷に到着した美咲たちは、玄関周りを掃除していたメイドに迎えられた。

突然の主人の帰還と来客に、メイドたちは慌てて執事を呼びに走る。

「あ、アンナさん、この家は土足厳禁なので、ここで靴を脱いでスリッパに履き替えてくださいねー」

「わかった。変わった習慣……ニホン式？」

「そーですよー」

茜はメイドにいくつかの指示を出すと、リビングに入っていった。

リビングでは小川がコタツで寛いでいた。

「おじさーん、弟子取りませんかー？」

「おや、茜ちゃん、に、美咲ちゃんと、そっちのお嬢さんは初めましてかな？」

「おじさん、こちらはミストの町から来た私たちの友達のアンナさんです。アンナさん、こちら、おじさん、じゃなくて小川さんです」

紹介され、小川は丸めていた背筋を伸ばした。

絨毯があるとはいえ、床に座っている小川を見てアンナは目を瞬かせながらも挨拶をする。

「初めまして。アンナです。回復魔法を習得したくてオガワ男爵に弟子入りのお願いに来ました」

「あー、弟子ってそういうことね。初めまして、僕は小川です。男爵はつけなくていいからね。それでアンナさんはなぜ回復魔法を習得したいのかな？」

「いつか迷宮に潜るときに必要になると思ったから、です」

「なるほどね。そういう目標があるんだね。まだ回復魔法は普及の前段階でね、いまから習得しようとすると結構つらいよ？　その覚悟はあるのかい？」

「はい。新しいものを覚えるのが大変なのは覚悟してます」

小川の問いかけに真摯な表情で答えるアンナ。小川はそんなアンナを見て、真面目そうな人間だと判断した。

「そうかい。んー、弟子ってわけにはいかないけど、魔法協会での助手として、回復魔法のカリキュラムを作る手伝いをしてもらおうかな。その過程で回復魔法を習得してもらうってことでどうだい？」

「ありがとうございます」

ふたりのやり取りを聞いていた美咲と茜は、あまりのあっけなさに拍子抜けしたような表情をしていた。

「小川さんもアンナも、そんなにあっさり決めていいんですか？」

「僕もカリキュラムを作るために、テストケースとなる助手が必要になるって思っていたところでね。渡りに船ってやつだよ」

「ミサキ、問題ない。回復魔法を覚えられて、その普及にも関われる。それはとても名誉なこと」

「うん、アンナが納得してるならなにも言わないけどね」


メイドに準備させた客室にアンナを案内したあと、美咲と茜がリビングで寛いでいると、広瀬が帰ってきた。


小川にアンナの話を聞いた広瀬は茜に声をかける。

「なあ茜。茜たちはそのアンナって娘を小川さんに紹介するために王都に来たのか？」

茜はどうしましょうという顔で美咲のほうを見る。小さく溜息をついた美咲は、ミストの町であった出来事と、これからの予定について広瀬に説明をした。

「えーと、そういうわけなので、これはアルさんには内緒でお願いしますね」

「なるほど、レールガンか。そりゃアルには内緒にしないとな……その魔法、俺でも使えるのかな」

「魔素操作がかなり複雑ですけど、それができたらあとは簡単ですよ」

「魔素操作か。それじゃ俺には無理かな……で、海に行くんだって？　遠いぞ？」

「そうなんですか？」

「あー、ちょっと紙とペンないか？」

「はい」

大学ノートとボールペンを渡すと、広瀬はサラサラとエトワクタル王国の地図を描いた。

「王都が中心で、南がミストと白の樹海な。で東がヒノリア、西がニースト、北が黒の山脈だ。細かい町は省くぞ？　で、ヒノリアの東が自由連邦、ニーストの西が蛮族の住むといわれている領域だ。えっと、西部諸国連合な」

「白の樹海の南にはなにがあるんですか？」

「樹海を踏破した者はいないが、まあ、海があると言われてるよ」

「この黒の山脈の北は？」

「海だな」

「近いじゃないですか」

王都から真っ直ぐ北上すれば海である。

「間にある山脈がなぁ、対魔物部隊が踏破訓練に使うのを諦めたほど険しいんだ。しかも、山の向こうは断崖絶壁だ」

「おにーさん、質問です」

「なんだ？」

「海に行く安全な最短ルートはどうなるんですか？」

「王都から東に向かい、ヒノリアを経由して自由連邦に入り、そこからさらに東に何日か進むと海があるらしい。多分、そのルートが最短だ」

海を見るのに外国に出なければならないと想像もしていなかった美咲は、ショックを受けたような表情だ。

対照的に茜は嬉しそうである。

「茜ちゃん、嬉しそうだね」

「だって、面白いじゃないですか。海を見るのに海外旅行しなきゃならないなんて」

外国イコール海の外、という感覚が抜けない日本人らしい感想を述べる茜に、美咲は疲れたようにコタツに突っ伏した。

「海、見たかったなぁ」

「え、行かないんですか?」

「だって外国でしょ?」

「行けばいいじゃないか。遠いだけで行くのは簡単だぞ」

広瀬の言葉に美咲は背筋を伸ばした。

「そうなんですか?」

「自由連邦ってのは、もともと王国の貴族が離反して作った国だから、言葉も社会制度もだいたい同じだ。パスポートやビザなんてものもないし……まあ、国境を越える際に金取られるけどな。エトワクタル王国で流通する塩の半分くらいは、自由連邦から輸入したものだし、いまは国家間の仲も悪くない」

「ああ、そういえば教科書に、塩を押さえられて自由連邦の独立を阻止できなかったって書いてあったような」

自由連邦は王都東方の町を治める領主たちが、エトワクタル王国から独立して誕生した連邦制の国家である。

　町の開発当初を除き、王都からの距離が壁となり、魔物あふれなどの有事に十分な支援を受けられないなどの不満から、辺境各地で独立運動の機運が高まり、当時、ヒノリアよりも東の町を治めていた領主たちは独立を宣言した。

　現在、エトワクタル王国はヒノリアにある塩湖と、王国内に数カ所ある岩塩の採掘所で塩を生産しているが、独立運動が起きた当時は、大半の塩を自由連邦に依存していた。自由連邦に塩という戦略物資を押さえられていたことと、当時のエトワクタル王が西方の蛮族からの侵略に苦慮していたことから、無血で自由連邦の独立が成り、現在に至る。

　独立後は自由連邦との間に通商条約が結ばれ、現在では多くの塩が、毎日のように自由連邦からエトワクタル王国に運ばれている。

　領主に治められた各町が国として独立したようなものなので、言葉も文字も、果ては通貨までもがエトワクタル王国のものをそのまま使っているし、通商条約を結んで以降は国境を越えるのも容易となっている。

「それじゃ、行ってみようか、海」

「はい！」

「美咲、地図なら商業組合で手に入るから買っておけよ。まあ、俺の描いたのとあまり変わらんと思うけど」

◆ ◇ ✳ ◇ ◆

翌日、美咲と茜は商業組合を訪れ、地図を買い、海までの安全なルートに関する情報を教えてもらった。

「これが地図……」

「ファンタジーっぽい地図ですねー」

エトワクタル王国と自由連邦の地図には、道と町と森、山くらいしか記述がなかった。

まだ等高線という概念がないらしく、山は辛うじて尾根の位置だけが記されている。

ミストの町周辺を見る限り、縮尺もかなり適当である。町が異様に大きく描かれている。あくまでもこの地図は、町から町に移動する際に迷わないようにするためのものでしかないのだ。

教えてもらったルートを指で辿ると、片道一週間ほどの旅程になりそうだ。

今回の旅で使うのは、塩の道と呼ばれる街道だった。

王都からヒノリアを経由し、国境を越えて自由連邦に入る。そして、ノージー、ホッキズ、バーギス、クロネと経由して、海沿いの町、コティアに至る。

それぞれの町は宿場町として機能しており、馬車での移動であれば、日の出とともに町を出れば昼過ぎには次の町に到着できる程度の間隔で作られている。

「茜ちゃんはマントって持ってたっけ？」

「マントですか？　持ってませんけど」

傭兵をやっていた美咲は革鎧を買うときにマントも買っているが、ずっと王都で商売をしていた茜はアウトドア的な装備はほとんど持っていなかった。

「いちおう、買っといたほうがいいよ。雨具になるし、もしも野宿なんてことになったら毛布代わりになるし」

「あー、傘は目立ちすぎて使えませんもんねー」

この世界の雨具は、まだマントくらいしかない。雨傘を使えば悪目立ちするのは確実である。

「急ぐ旅じゃないから雨の日は休養日でもいいんだけど、にわか雨だってあるだろうしね」

「ほかにどんなものが必要なんでしょーか？」

なんだかんだで傭兵稼業が長い美咲は、それなりの装備を揃えていたが、茜は準備するものが多かった。

その準備すら楽しみつつ、美咲と茜は市場を見て回った。

「美咲先輩、火口箱《ほくちばこ》ってないんですかね？」

「ほくちばこってなに？」

聞き慣れない名前に美咲は首を傾げる。

「火を点けるための道具ってゆーか、ファンタジー世界のマッチのようなものらしいです」

「魔道具あるじゃない。私たちなら魔法でもいけるよね。なんならライターも呼べるし……お仏壇用だけど」

「あ、そっか……松明とかは必要でしょーか？」

「夜は歩かないからいらないと思うな。確か手に持つタイプの松明に似た形の灯りの魔道具もあったはずだから買っとく？」

一通り市場と雑貨屋などを巡り、茜の準備も整った。

「帰ったら広瀬さんにも見てもらおう。対魔物部隊ってことで旅慣れてるだろうし」

「そうですねー」


帰宅した美咲たちは、コタツの天板の上に買ってきたものを広げ、広瀬に過不足がないかを見てもらっていた。

「荷物の前に、まず足回りな。これは大事だぞ。この世界じゃ徒歩が基本だからな。馬車で行くにしても壊れたら徒歩で移動しなきゃならない。美咲のブーツはいいとして、茜のスニーカーはそろそろ寿命だろ？　美咲、なにか茜に合うサイズの靴出せないか？　靴は日本製のほうがいいからなぁ」

旅の荷物について尋ねたはずなのに、広瀬からはそんな返事があった。

「茜ちゃん、足のサイズは？」

「二十三・五ですけど、出せます？」

「あ、私と同じだね。それじゃ、登山靴とブーツと、あ、革靴もあったね。それにスニーカーっと」

次々に呼び出して茜に渡していく美咲。

それらを受け取り、茜は嬉しそうにお礼を言った。

「こんなにたくさん、ありがとうございます」

「登山靴があるのか。旅するならそれがいいと思うぞ……美咲、ちなみに二十七の靴なんかは」

「呼べないです」

「だよなぁ……ああ、あと、厚手の靴下な。それと、服装は前開きで脱ぎ着しやすいものを重ね着するんだ。温度に合わせてしっかり調整するんだぞ」

広瀬の言う通りに靴から小物までいろいろ揃える。荷物についてもいくつかコメントをもらい、旅の準備はほぼ整った。

「それで、徒歩で行くのか？」

「いえ、塩の道はたくさんの荷馬車が行き交っているそうなので、それに便乗させてもらうつもりなんです」

「なるほど、馬車にあてはあるのか？」

広瀬の質問に美咲は頷いた。

「商業組合で仲介してくれるってことでした」

「ああ、客として乗せてもらうのか。それなら楽でいいな」

「いざとなったら美咲先輩と一緒に、護衛として雇ってもらうって手もありますしねー」

魔法なら自信があります、と茜が手を挙げる。

「なら大丈夫かな。ああ、そうだ。初めての町で宿を取るまでは、その日、最初に馬車から降りた場所を集合地点として覚えておくこと。はぐれたら最悪だからな」

「なるほど。携帯電話で連絡ってわけにはいかないですもんね」

「りょーかいです」


翌日、美咲と茜は馬車の手配のため、商業組合を訪れていた。

塩の道を行く馬車は、なにも塩だけを運ぶわけではない。

塩を運んできた馬車は、多くの場合、鉱物資源や鉄製品を積んで帰っていく。美咲たちはそれに便乗させてもらおうというわけだ。

もちろん、有料である。

また、あくまでも輸送がメインなので宿の世話などもしてくれるわけではない。

「アカネ様、コティア行きでしたら明日出発の便があるようです」

商業組合では、王都で名前と顔が売れている茜が受付と話をしていた。

「美咲先輩、明日出発でいいですか?」

「うん。問題ないよ」

「それじゃ、明日の便、二名押さえてください。集合場所は東門ですか?」

「はい。東門のそばの白の森亭という宿の前に馬車が停まっていますので、そこからお乗りください。ニックという者のキャラバンです」

「ああ、白の森亭ですね。で、ニックさん、と」

茜は白の森亭を知っているようだった。なにか珍しい料理でも出すのだろうかと美咲は茜に尋ねてみた。

「白の森亭って有名なの？」

「はい、平民街区では珍しい白い石を使った建物なんです。綺麗で目立ちますから、待ち合わせなんかにも使われたりしますね」


翌朝、日の出前、美咲と茜は白の森亭に向かっていた。

アイテムボックスと収納魔法があるふたりなので手ブラでも問題はないのだが、いちおう旅人らしく、美咲が出したアタックザックを背負い、金剛杖を手にしている。なお、アタックザックの中身はタオルクッションとおやつと飲み物である。

「あ、あれがそうです」

茜が指差すほうに白っぽい建物があった。

白の森亭は、茜の言っていた通り、とても目立つ建物だった。

白亜とまではいかないが、白っぽい石を使い、それを売りにしているだけあり、丁寧に掃除がされている。

その宿の前には数台の馬車が停まっていた。

「えーと、どれだろ？」

「馭者の人に聞いてみましょう」

茜は近くに停まっていた馬車まで小走りに近付くと、馬の足を確認していた馭者に、ニックという人を知らないか質問した。

「それなら彼だよ」

そう言って馭者が指差したのは、筋肉質で大柄な男性だった。

荷物の点検をしているのか、前のほうの馬車の荷台を覗き込んでいる。

茜は馭者に礼を述べ、美咲と一緒にニックのところに向かった。

「商人より、傭兵って言われたほうが納得しそーな体格ですね」

「兼任しているのかもね。自分で護衛すれば、その分経費が浮くだろうし……どこに乗ればいいか聞いてこよう」

「そうですねー」

「あの、お忙しいところすみません。ニックさんですか？」

振り向いた男は、遠目に見たよりも大男だった。

「そうだが……ああ、コティアまで乗りたいってお客さんか……ん？　傭兵か？　男って聞いてたんだけど」

美咲たちの傭兵のペンダントに気付いたニックが不思議そうな顔をする。

「客で合ってます。私は美咲、彼女が茜。いちおう傭兵で魔法使いもやってます。それで私たちはどの馬車に乗ればいいでしょうか？」

「一番後ろの幌付きの馬車だ。今回乗客は君たちだけだよ。乗り遅れないようにな」

ニックに指し示された馬車は、半分以上が荷物で埋まっていた。

美咲たちは荷物の間に潜り込むようにして、据わりのいい場所を見付けてタオルを詰め込んだ革袋を敷いた。

「日本なら、長距離バスに乗りましたってところでしょーか」

「そうだね。でも幌馬車って結構寒いんだね、マント被ってようかな」

「それがよさそうですね。旅先で風邪ひいたら大変ですし」

暦の上では春とはいえ、日陰ではまだ肌寒い季節である。

美咲と茜はマントにくるまり、カイロの魔道具で暖を取りはじめた。

「こう、小さなコタツがあればいいかもね」

「あー、馬車でコタツっていうのは思い付きませんでした。コンセントいらないから、そういうのもありですねー」

「馭者の人だけ仲間外れになっちゃうけどね」

ふたりがそんな話をしていると、馭者が出発前の点呼を取りに来た。

「乗客おふたり様、お揃いですね。そろそろ出発ですよ」

「はい、よろしくお願いします」

初日はエトワクタル王国内の移動である。

王都からヒノリアの町までの移動経路には小さな森が多く、森を切り開いて道が通されている。

そのため、馬車は木漏れ日の中を進むこととなった。

「ミストのあたりとはだいぶ違うんだね」

「そうですね。あっちは小さな丘が多くて、それを迂回するように道ができてましたからね」

「そういえば、塩の道は当時の王様の命令で整備されたって教科書に書いてあったよ。きっと大事業だったんだろうね」

「へぇ、そこまでしたのに地方領主に離反されちゃったら泣くに泣けないですねー」

馬車は何事もなく森の中を進む。

塩の道の周囲の森は、定期的に対魔物部隊が魔物の駆除を行っているため、ミスト方面よりも魔物との遭遇率が低いのだ。

時折馬車が停車するのは、前方から来た馬車に道を譲っているためだ。

塩の道では上りが優先とされているため、すれ違う場合は下り側が路肩に停車する決まりとなっている。

前回、魔物あふれが続いたときには、このあたりにはグランベアという魔物が現れたが、それ以外で一般人が魔物に襲われたという例はほとんどない。

聞こえてくるのは鳥の鳴き声だけで、実にのどかな道行きである。

「平和だねー」

「王国の主要道路ですからねー。魔物が出てきたらおにーさんに文句言わないとです」

そんな会話がフラグになったのだろうか。

キャラバンが停止し、ニックが美咲たちの乗っている幌馬車に顔を覗かせた。

「すまんが魔法使いだったよな。氷を出せないか？」

「出せますけど、どうしました？」

「ちょっと来てくれ。氷が必要なんだ」

ニックに連れられて、キャラバンの先頭に向かう。

その前方にキャラバンのものとは明らかに作りが異なる、紋章入りの高級そうな馬車が停車していた。

「あれ？　あの紋章って確か」

馬車の紋章は以前、ミサキ食堂の前に停車していた馬車に付いていたものとどこか似ていた。

「モーラン伯爵家の紋章だ。姫さんと若君が乗ってるんだが、若君が急に熱を出したんだ」

「急ぎましょう」

「ですね」

小走りにモーラン家の馬車に駆け寄る美咲と茜。

馬車の前にいた騎士が道を塞ごうとするが、

「氷を出せます、通して！」

と言うと、すぐに道を空けた。

馬車の扉を開けると、十七、八歳の少女と、十歳くらいの男の子が乗っていた。

熱のせいだろう。男の子は顔が真っ赤になっていた。

収納魔法から、この世界で一般的に使われている革袋を取り出すと茜に持たせ、距離をおいて美咲は小さく呪文を唱えた。

「小さき氷よ、あの袋の中に現れよ……氷礫《ひょうれき》！」

アイスキューブがゴロゴロと革袋の中に現れる。

「これで冷やしてあげて」

氷の詰まった革袋を少女に手渡すと、少女は、男の子の頭にそれを当てた。冷えた革袋の感触が気持ちよかったのか、男の子の表情が少し和らいだ。

「予備も必要かな」

革袋を収納魔法から取り出したように見せつつ呼び出し、再び茜に持たせる。

「……氷礫」

新しい革袋の口を縛り、予備として少女に手渡す。

「ありがとうございます……あの、申し訳ありませんが、ヒノリアまでキャラバンに同行させていただけないでしょうか」

「えっと」

美咲がニックのほうを振り向くと、ニックは頷いていた。

「あ、いいそうです。私はキャラバンの乗客の美咲です。氷がなくなったら出しますので言ってください」

「ミサキ……さん？　いえ失礼、申し遅れました。わたくしはヒノリア領主が娘、ロレイン・モーランです。この度のご厚意、感謝いたします。こちらは弟のグレッグです」

「早く治るといいですね」

氷で冷やしたことでグレッグの熱も落ち着き、ヒノリアに着く頃には容体は安定していた。

ヒノリアの門の前に到着すると、ロレインは小さな革袋を手渡してきた。

「ありがとうございます。これは些少《さしょう》ですが」

「そんなのいいから、早く薬師に見せてあげてね」

やり取りが長引いても仕方ないと、美咲はずしりと重たい革袋を受け取り、ロレインの馬車を見送った。

「嬢ちゃんたちがいて助かったぜ」

ニックも礼を受け取ったようで、満面の笑みをたたえていた。

「別にあれくらい、普通のことじゃないですか」

「なかには貴族は嫌いってのもいるからなぁ」

キャラバンは、門で禁制品がないかをざっとチェックされ、門内に入った。

そこで美咲と茜は降ろされた。

「さ、今日はここで解散だ。明日は鉄壁亭の前に日の出集合だからな」

「鉄壁亭？」

「おう、あそこの武具屋みたいな宿屋だ」

見れば、斧と盾を描いた看板がある。

知らなければ宿屋とは思わないだろう。

「お薦めの宿があったら教えてほしいんですけど」

「鉄壁亭かな。飯の量が多い、お上品なのが好きなら白薔薇亭なんてのもあるぞ」

「白薔薇……茜ちゃん、どっちがいい?」

「んー、白薔薇亭もちょっと気になりますね」

「じゃ、見てこようか」


ニックに場所を聞いて白薔薇亭を訪ねる。

白薔薇亭は、名前の通り、白薔薇を描いた看板が目印だった。

見た目は宿というよりもお屋敷だった。丁寧に整えられた庭の緑が目に眩しい。

しかし、あまりにもお屋敷らしさが強すぎ、あらかじめ聞いていなければ、そこが宿屋だと気付くのは難しかったかもしれない。

「……んー、茜ちゃん、どうする?」

「ちょっとハードルが高い感じがしますねー。なんというか、綺麗すぎて、一見さんお断り、みたいな?」

「そもそも営業しているのかもわかりにくいよね。玄関閉まってるし」

看板が出ているのだから、この世界の常識に従えば営業中なのだが、どうにも敷居が高いように感じる美咲たちだった。

「傭兵は傭兵らしく鉄壁亭に行きましょーか」

「そうだね。ここは帰りに寄ったら泊まりに来ようか」

白薔薇亭をあとにしたふたりは、最初にニックに紹介された鉄壁亭を目指して歩き出した。

時刻はまだ夕刻。太陽はだいぶ傾いているが空は明るい。

鉄壁亭にツインルームを取ったふたりはヒノリアの町を見て回ることにした。

町の構造は塩湖があることを除けば、どちらかといえばミストの町に近く、外塀だけで町を守っている。

だが、エトワクタル王国の玄関口といわれるだけあり、ミストの町と比べると遥かに人の数が多い。

市場も活気づいており、日本の人混みに慣れている美咲たちから見てさえ、賑わっているのが感じられた。

ただし、同じエトワクタル王国内ということで、物産などは王都と大差はなかった。

「ここでしか買えないような特産品はなさそうだね」

「そーですねー。私の鑑定にも面白そうなものは引っかかりません」

市場を一通り眺め、美咲たちは宿に戻った。

宿屋の食事はニックの言葉通り量が多かったが、味も悪いものではなかった。

ただ、酔客が多いため、美咲たちは早々に食事を終えて部屋に戻ることにした。

「茜ちゃん、なにか欲しいものある？」

「いえ、もうお腹いっぱいですから……って、ああ、いつもの呼び出しですね」

「うん、特になければお酒とビールでも呼んどくけどね」

飛竜の襲撃が神託にあった揺り返しだとすれば、そろそろ毎晩の呼び出しは必要なくなっているのかもしれないが、新たな神託が来るまでは、美咲は毎晩の呼び出しを続けるつもりでいた。

「でしたら、雑貨屋のいつものラインナップで、手鏡をちょっと多めにお願いします。雑貨屋の売れ筋なので」

美咲は頷くと、茜のベッドの上に雑貨屋で扱っている商品を呼び出しはじめた。

それを片っ端からアイテムボックスにしまう茜。アイテムボックスの操作は、傍から見ると空中を指でなぞっているようにしか見えない。

「……アイテムボックスは便利だけど、その操作がちょっと目立つよね」

「そーですね。人に聞かれたら、収納魔法覚えるときに振り付きで覚えちゃったとか言うしかないですね」

「……ん、ちょっと眠くなってきた。私、そろそろ魔素切れで寝落ちしそうだから、今日の呼び出しはここまでにするね」

「はい、ありがとうございました。もう暗くなってきたし寝ましょうか」

灯りの魔道具があるとはいえ、この世界の生活は太陽とともにある。明日は日の出の頃に待ち合わせだし、夜更かしをするわけにはいかない。

「そうだね。明日は国境か」

「楽しみですね」

◆◆◆

国境は小さな砦に併設された門だった。

国境線には申し訳程度に柵が作られているが、街道を少し逸れれば柵もない。誰でも簡単に越えられそうだ。

馬車に乗っている者は馭者以外は全員降りて門を通過する。

「荷物はない？　では国境通行税、ひとり千ラタグです」

入国目的も、滞在先も、なにも聞かれなかった。

塩の道と呼ばれるような大きな街道である。いちいち時間をかけていられないのだろうが、情緒もなにもあったものではなかった。

ただ国境を通るための税金だけを徴収され、美咲たちは自由連邦に足を踏み入れた。

「なんにしても初海外です。海は越えてませんけど。美咲先輩は海外って行ったことありますか？」

「私もこれが初めてだよ」

ヒソヒソ話しながら門を通過し、馬車に乗り込む。

自由連邦に入ってすぐの町がその日の宿だった。

町の名前はノージー。

大きな湖の畔にあり、湖から流れる川を利用した水運も盛んな町である。

「湖畔の町か、綺麗なところだね」

「虎のゴーレム作った人は、こういうのを目指してたんでしょーね、きっと」

ニックたち、キャラバンのメンバーと同じ、汀亭《みぎわてい》という宿にツインルームを取り、美咲たちは町を散歩していた。

町の中央広場にある塔に上った美咲たちは周囲を見渡した。

湖側からは魔物が来ないらしく、そちらには高い塀はなかった。

「視界が開けてるって気持ちいいよね」

「ですねー」

町の名産は、マスに似た魚の甘露煮と小エビを甘辛く炒めた料理だった。

それぞれ、少しずつ美咲が購入し、ふたりで分けて食べる。

「これ、おじさんたちが好きそうな味ですねー」

「あ、確かに。帰ったら出してあげよっかな」

「美咲先輩のお土産って、呼び出し使うとその場で食べるのと同じ鮮度なんですよね。やっぱり便利だなー」

「いいお店を見付けられたのは茜ちゃんの鑑定のお陰じゃない。鑑定も便利だと思うよ」

宿の食事は、マスに似た魚の塩焼き、甘露煮、酢漬けと魚づくしだった。

「相変わらず、ニックさんの泊まる宿の料理は美味しいですねー」

「旅が仕事みたいなものだからかな。宿はニックさんと同じところにするのが確実っぽいね」

翌日、ノージーを出てしばらく進んだ森の中で唐突に馬車が止まった。

「なにかあったのかな?」

前のほうが騒がしい。

怒号が聞こえたので慌てて馬車を降りると、キャラバンの前のほうで大きな熊と護衛が戦っていた。

「お客さん、ありゃグランベアだ。いつものことだから大丈夫ですよ。馬車に戻っててください」

馭者にそう言われ、美咲たちが馬車に戻る頃には決着が付いていた。

護衛側の圧勝である。

「グランベアって魔物だったよね」

「そーですけど、あっさり勝っちゃいましたね」

「魔剣持ちがいるか、よっぽど腕のいい傭兵がいるんだろうね」

馬車に戻って大人しく待っていると、何事もなかったかのように馬車は動き出す。

「出番、なかったね」

「そーですねー。でも、あの護衛なら安心ですね」

しばらくすると、景色が一変した。

一面、草原である。

草原には木の柵が設けられており、家畜が放牧されている。

自由連邦のホッキズ、酪農の町である。

「広いですねー」

牛や馬、羊が悠々と草を食《は》んでいる。

豚も広い草原で遊んでいる。

「あちこちに塔があるね。魔物の警戒用かな?」

「あー、確かに。サイロとは違うみたいですねー」

塔の天辺には胸壁が備えられている。

小さな砦のようだ。

「監視用っぽいよね」

ホッキズの町自体は塀で囲まれている。

魔物が襲ってきたときに家畜を避難させるためだろう。塀の内側にはかなり大きな広場があった。

その広場を確保するためか、塀に覆われた町のサイズはミストよりも遥かに大きなものだった。

「ミストの町も酪農やってるけど、比較にならないね」

「大規模酪農牧場ですよね。これはいろいろ期待できそうですね」

「なにが?」

「ミルクにチーズ、ベーコンにハムとかです」

「あー、確かに」


その日の宿は角兎亭。

ニック曰く、肉が美味い宿らしい。

町を散歩すると行商人相手の店が多く、チーズ、バター、牛乳はどれも絶品だった。

ベーコン、ハムも何種類かあったので、土産として一通り買い込む。

帰りも同じルートを通るので慌てる必要はないのだが、目の前に美味しそうなものが文字通りぶら下げられているのを見て、財布の紐が緩んだらしい。

宿の食事は、大きなステーキがメインである。丁寧に処理されており、地竜と比べても遜色ない柔らかさで美咲たちを驚かせた。

「美咲先輩、いまさらですけど全然外国って感じしないですね」

「そもそも異世界だけどね……うん、言いたいことはわかるよ。エトワクタル王国と違わないってことだよね」

「そうですそうです。なんか、国内旅行してるみたいな感覚っていうか」

「もともとひとつの国だったというのが大きいんじゃないかな。言葉も同じだし」

「外国ってなんなんでしょーね？」

茜はそう呟くと、ステーキを大きく切り取り、口に運んで満面の笑みを浮かべた。

翌日はひたすら草原の中を移動していた。

牧場の柵がなくなってもまだ草原、ひたすら草原である。

やがて草原の色が変わったと思ったら、緑が美しい小麦畑が広がっていた。

もう少し遅ければ、小麦が色付いていたことだろう。

あちこちに張り巡らされた用水路は、美咲たちにはどことなく田んぼを思い起こさせた。

「のどかな田園風景ですねー」

「えーと、バーギス、かな……確か、自由連邦の穀倉地帯って教科書に書いてあったはず」

地図を見ながら美咲が答える。

小麦畑を抜けるとバーギスの町である。

町のサイズはミストの町とあまり変わらないように見える。

宿はニックお薦めの黄緑亭。

町の中はミストの町よりも店舗数が少ない。

行商人相手の宿場町として宿屋はそれなりにあるが、積極的に商売をするつもりはないのかもしれない。

「なんか、寂れた感じの町ですねー」

「それだけ農業に力を入れてるんじゃないかな」

「なんか進むほど田舎になってませんか？」

「そりゃ、海運が進歩してないんだから、海に近付くほど田舎になるんじゃない？　海岸線なんて文字通り地の果てなんだから」

黄緑亭の夕食は、野菜と鶏肉の煮込みとリゾットだった。

「なんとなく、お米が欲しくなる味ですね」

「小麦のリゾットも美味しいけど、確かにそうだよね」

塩で味付けされた煮込みは鍋を彷彿とさせ、日本人としては米を求めてしまうのだ。

それさえ気にしなければ、全体として味はとてもよいものであった。


翌日バーギスを出た一行は、一面の畑の中を進み、昼前くらいから森の中に入った。

「あんまり、道、よくないですね」

そう茜がボヤくほど路面は荒れており、ふたりはタオルクッションを増量した。

馬車は時折轍を外れるようで、大きく揺れながら道を進む。そのたび、車輪が壊れるのではないかと心配になるような軋《きし》みを上げるが、駁者は気にした風もない。それを見て、これが普通なのかと自分を納得させる美咲だった。

「最近、雨でも降ったのかもね」

「舗装されてるわけじゃないですもんねー」

町中であっても石畳が使われているのはごく一部である。町の外ともなれば、そこが街道であっても地面は土がむき出しなのが当たり前なので、ちょっとしたことで路面状況は悪くなる。

ガタガタと揺れながらも、やがて馬車は丸太をそのまま塀にした町に到着した。

クロネの町である。

「今日の宿場町だ。お薦めは切り株亭だな。林業が盛んな町だから、木を使った工芸品なんかが土産物になるぞ」

ニックの薦めに従って、宿は切り株亭に取った。

町の大きさはミストの町よりも遥かに小さい。

工芸品が土産になると聞いて町中を歩いてみると、確かにそれらしいものを扱っている店がある。

ただし、土産物として売られているわけではない。観光地として整備された町ならともかく、それ以外の町で土産物を置いても、それを買い求める旅行者がいないのだ。

美咲たちは、木工細工を行商人相手に売っている店を訪ねていた。

「茜ちゃん、これなんだかわかる？」

「なんでしょう、寄木細工でしょーか？」

「随分と大きな模様だけど、ちょっと似てるね」

これから進化し続ければ、いずれは箱根の寄木細工に似たものになっていくのかもしれない。工芸品を眺めながら美咲はそんなことを考えた。

「面白いからひとつ買っていきます」

「私が買っておこうか？」

壊れたときの保険にと美咲が提案すると、茜は頷いた。

「んー、それじゃ、これをお願いします」

異なる色の木材を組み合わせて大きな模様をひとつだけ作った箱を、茜は美咲に手渡した。

「おばさん、これいくらですか?」

「んー、それは百五十ラタグだね。おや、姉妹かね?」

「まあ、似たようなものです」

銀貨一枚、大銅貨五枚を支払い、箱を茜に渡すと、茜は美咲とお揃いのアタックザックに箱をしまい込む。

店を出て、ほかにめぼしいものがないかと歩く美咲たちだったが、小物を扱うような木工細工の店に置いてある品は、どれも似たり寄ったりだった。

「そろそろ宿に戻ろうか。それにしても寄木細工、久しぶりに見たなぁ……将来、このあたりは、この世界の箱根になるのかもしれないね」

「まだまだ先は長そうですけどね」


夕食は山鳥を焼いたものとパンとスープだった。

味付けはかなり濃く、薄い塩味に慣れた美咲たちを驚かせた。

そんな美咲たちを見て、ニックが酒を飲みながら教えてくれた。

「このあたりじゃ、味は濃いほど美味いってされてるんだ」

「塩辛い割に美味しいですね」

塩辛いだけではない。濃いめの味に慣れた日本人からみてもしっかりとした味付けである。

「ほんとだね。お塩がいいのかな」

「嬢ちゃん、いい舌してるな。コティアの焼き塩の特級品だ。柑橘類で香りも付けてある」

「おー、確かに」

ニックの説明に味の分析を始める美咲。

茜は美味しければそれでよいと言わんばかりにパクパク食べている。

「コティアではいろいろ見ないといけないね」

「とりあえず美咲先輩、美味しいは正義です」


翌日クロネを出た一行は、途切れることのない森の中の道を進んだ。

景色が変わりはじめたのは昼前くらいだった。

森の木々が減り、空を覆う緑が少なくなった。

まだ海は見えないが、空気に潮の香りが混じりはじめ、ほどなくしてコティアの町に到着した。

「お客さん、コティアに到着しましたよ」

馭者に言われ、馬車を降りて大きく伸びをするふたり。

海の町、コティア。

旅の目的地である。

「ニックさん、お薦めの宿があったら教えてください」

「コティアの町なら深山亭《みやまてい》だな。飯が美味い」

「深山亭ですね。ありがとうございます」

ニックお薦めの深山亭に宿を取ったふたりは、部屋に立ち寄りもせず、真っ直ぐに海へと向かう。

「おー、海の匂いが強くなってきましたよ」

「そうだね、こっちかな」

匂いを頼りに歩いていると、土を固めた堤防のようなところに出た。

それをよじ登ると。

「海です、美咲先輩！」

「海だねー」

青い海と白い浜が一望できた。

「これ、入っちゃ駄目そうだね」

「そうですねー、塩田でしょうか。初めて見ましたー」

浜は区切られ、人が手作業で塩水を撒いていた。

原始的な塩田の姿である。

「あ、あっちです。塩田がないからあっち行ってみましょー」

「うん、茜ちゃん、そんなに急がないで」

塩田を避け、浜に下りて海に近付く。

波打ち際まで歩いたふたりは、手で波に触れる。

「うん。海まで来たね」

「来ましたねー……やっぱりこの世界の海もしょっぱいですね」

海水を指に付けてひと舐めし、茜が顔をしかめる。

「塩田作ってるくらいだからねぇ」

「それはそうですけど、しょっぱいです。海って感じです」

「コティアにはしばらく滞在するつもりだし、とりあえず町中を見てみようか」

「そうですね、海産物とか楽しみです」

塩の道の基点であるコティアには、たくさんの行商人が往来する。

塩だけでもさまざまな種類が売られているが、干物なども豊富である。

また、コティアでしか食べられないような新鮮な魚介類も豊富で、遠方から訪れた行商人は好んで食べている。

町の中央にある広場では、そうした海産物を取り扱う露店などが出ており、美咲たちはそれらを見て回った。

「美咲先輩、焼き貝です」

串焼き肉ならぬ串焼き貝だった。

一串にふたつ、ハマグリと思われる貝の身が刺さっている。

「半分こしよう。おじさん、ひとつください」

「あいよ。女神様にそっくりだね。二十ラタグだ」

「あはは、よく言われます」

大銅貨を二枚渡して串に刺した焼き貝を受け取る。

ひとつ食べて茜に渡す。

「あつっ……なんか醤油っぽいですねー」

「魚醤ってやつかもね」

店を見て回ると、さまざまな魚介類が売られていた。

「カニにエビ、タコにイカ、なんでもありますねー」

「タコもあるんだね」

「そういえば西洋人はタコ食べないって聞きますけど、普通に売ってますね」

「あれは旧約聖書由来だからこっちの世界じゃ関係ないしね」

「聖書由来だったんですか?」

茜は目を丸くした。タコを食べない西洋人がいると聞いたことはあっても、その理由を気にしたことがなかったのだ。

「うん。旧約聖書に、鱗のない魚を食べてはいけないってあるらしいよ。気にしない西洋人も多いみたいだけど。イタリアとかギリシャじゃ普通に食べるし……うーん、いろいろあるけどタコ焼きはさすがにないか」

「あったらびっくりですよね。作ったら売れますかね?」

「またそうやって商売っ気を出すんだから」

露店をひやかしながら町中を歩き、宿に戻るとすぐに夕食だった。

夕食は鯛に似た魚の塩焼きと貝の潮汁だった。

「この魚、身がプリプリですよ」

「そうだね。それに塩加減も絶妙。ちょっと真似できそうにないね」

海の幸を堪能しながらふたりは幸せそうな笑顔を浮かべるのだった。


翌日は早朝からのんびりと海沿いを散歩した。

少し歩くと砂浜だけではなく岩場もあり、貝や海藻を採取している人たちがいた。

「こういう風景は日本とよく似てるね」

「そーですねー。あ、海人《あま》さんですよ」

茜が指差すあたりを見ると、少し沖のほうで、素潜りで貝を採っている人たちがいるのが目に付いた。

もちろん、日本で見られるような姿ではないが、やっていることはそっくりである。

「なるほど、あれだけの魚介類はこうやって採っていたんだね」

「凄いですねー。当たり前かもしれませんけど、人力ですべて賄ってたんですねー」

「塩作りもそうだよね。海水の散布なんかは自動化できない？」

美咲の質問に、茜は首を傾けて考える。

伸び縮みする魔道具があるのだから、それを使えば細い管に圧力をかけることは簡単にできそうだとすぐに思い至った。

「できると思いますけど、やるとアルに怒られますよ、きっと」

「なんで？　って、そっか、自由連邦って外国だったっけ」

「そうなんですよねー。それがなければいろいろ口出ししたいところなんですけど」

塩は自由連邦の基幹産業のひとつであり、戦略物資でもある。

一部でも自動化が進めば塩の値段が下がり、エトワクタル王国内の塩の値段にも影響が出兼ねない。

安価な塩が流通するだけなら平民にとっては喜ばしいことだが、その結果、国内産の塩の競争力が低下し、塩を自由連邦に完全に依存するようになっては外交的に極めてよろしくない。

アルバートに怒られる程度で済む問題ではない。

「エトワクタルにも使える海があればいいのにね」

「北の山脈にトンネルでも掘らないと難しいでしょうねー」

「随分と気の長い話になりそうだね」

「そーですねー。土魔法とかでパパッってできたらいーんですけどねー」

そんな話をしながらぼんやり海を眺めていると。

カン……カン……カン、と鐘の音が響いてきた。

「傭兵組合かな？」

「行ってみましょー」

鐘の音のするほうに向かっていくと、ほかにも同じ方向に向かう人の流れがあった。

しかし、人の流れはぐるりと回って塩田の反対側の浜に向かっていた。

よく見ると傭兵のペンダントを着けていない人が多い。

「なんだろね？」

「砂浜に並んでますねー？」

美咲は砂浜に行列を作っているおばちゃんに聞いてみることにした。

「あの、これはなにをやってるんですか？」

「ん？　ああ、よその人かい？　地引き網っていってね、いまから大きな網でいっぱい魚を獲るんだよ」

「なるほど、それで皆さん並んでるんですね」

「おや、地引きをご存知かい」

「ええと、話に聞いたことはあったので」

「それじゃいい経験だ、一緒に網を引かせてあげるよ。ほら、そっちの嬢ちゃんもおいでおいで」

美咲と茜はおばちゃんに手を引かれて列に並ばされた。

足下には丈夫そうなロープがある。

「それじゃそろそろ引くからね」

皆が足下のロープに手をかける。

「よーいしょ！　よーいしょ！」

掛け声をかけながら地引き網を引いていくと、やがてピチピチと跳ねる魚の姿が目に映った。

そのままの勢いで引き続けると、数人が海に入って網を手繰り寄せはじめる。

手元の網の荒い部分には海藻や逃げ損ねた魚が引っかかっている。

「美咲先輩、手が魚臭いです！」

「そーゆーものでしょ！」

文句を言いつつも楽しげな茜に、美咲も満面の笑みでそう返す。

網の目の細かい部分を引いていたおじさんが、桶に魚を移しはじめる。

大きめの魚やタコらしき足も見えるが、大半は小魚だ。

「雑魚は、浜で塩茹でにするから食べてきなさい」

「いいんですか？」

「一生懸命引いてくれたかんね。ご褒美だよ」

「ありがとーございます」


コティアの浜辺でワイルドな浜鍋をご馳走になった美咲たちは、その足で傭兵組合を覗いていた。

せっかく海辺の町に来たのだから、海に関係する仕事がないかと掲示板を眺めるためである。

あわよくば、船に乗ってちょっとだけ沖合に出られるような仕事が望ましいと、美咲は考えていた。

「あんまり海のお仕事はないですねー」

「そうだね……あ、でもほら、これなんか海っぽいかも」

美咲が指差した依頼票は大亀の駆除だった。

だが、よく見ると陸棲《りくせい》の亀とある。

以前、ミストの町のそばで美咲とフェルが倒したものと同じ種類らしい。

「そういえば、海側って高い塀がないですよね。海から魔物って来ないんですかね？」

「あー、言われてみればそうだね」

魔物は水を嫌う性質がある。コティアの傭兵組合に海に関する仕事が少ないのは、水棲《すいせい》の魔物がいないという理由が挙げられる。

また、漁は漁師の仕事であり、塩田はそれを管理する協会が仕切っている。そのため、よほどのことがない限り、傭兵組合に海に関する依頼が出ないのだ。

依頼票を指で追っていた茜が、指を止めた。

「無人島の魔物駆除なんてのがありますね」

「どんなのがいるの？」

「白狼みたいですね……島で？」

「どれ？」

「これです」

茜が指差している依頼票には、確かに無人島の白狼駆除と記述されている。

「……へぇ、往復の便は出してもらえるんだね。船に乗れるのは嬉しいけど……無人島かぁ」

「美咲先輩、受けるんですか？」

「受けないよ。さすがに無人島で白狼を探して狩るなんて無理だよ。船に乗れるっていうのは魅力的だけどね」

「無人島で探索っていうのは確かに厳しそうですよねー」

「……あの、ちょっとよろしいでしょうか？」

「はい？」

美咲が振り向くと、受付の席に座っていた女性が後ろに立っていた。

「あ、すみません、受付のリンディです。その依頼なんですけれど、傭兵組合からの依頼で、魔法使いの方なら簡単にこなせるものなんです」

「私は美咲です。どういうことですか？」

「無人島って、本当に小さい岩礁みたいなものなんですけど、そこに白狼が流れ着いてしまったらしく、一カ月前から住み着いてしまったんです。魔法使いの方なら、船から魔法を撃ち込むだけで倒せると思うんです……」

リンディは言葉を濁した。

「……一カ月ってなに食べてるんでしょーねー？」

「打ち上げられた魚や、潮溜まりの生き物を食べてるみたいです」

「この町には魔法使いはいないんですか？」

魔法使いなら簡単に倒せるという割に、一カ月も放置されているのはなぜかと美咲が質問する。

「魔法を使える人は都会に行ってしまいますので……」

言いづらそうに答えるリンディに、美咲は頷いた。

「なるほど。それで私たちに声をかけてきたわけですね」

「はい、魔法使いなら簡単なお仕事なんですが……もしもこのまま白狼を放置して、飢えた白狼が町に泳いできたらと思うと……魔物は水を渡らないとはいっても、飢えた魔物がなにをするかわかりませんし」

「ちょっと相談させてください」

美咲は茜を引っ張って壁際に移動した。

「茜ちゃん、どうする？」

「どうしましょー」

「こういうときのテンプレってないの？」

「んー、よい魔法使い兼冒険者としては、見過ごせませんね」

「冒険者って傭兵のこと？」

「似たよーなものです。美咲先輩も黙って見過ごすつもりはないんでしょ？」

「ん、まーね。見過ごして、あとで白狼の被害に遭ったって聞いたりしたら後悔するだろうから」

無人島で白狼を探して退治ということであれば、無理だと断っただろうが、小さな岩礁であれば、船から狙い撃ちだ。

美咲たちの危険は少ない。

ならば、困っている人を見捨てるという選択肢はなかった。

「やっちゃおうか」

「はい！」

依頼を受けると伝えると、リンディはすぐに船を手配するから待っていてほしいと告げてその場を離れた。

しばらく待っていると、リンディがひとりの老人を伴って戻ってきた。

「お待たせしました。こちらはセオドールさん。おふたりを岩礁までご案内してくださる船長です」

「船長なんて立派なもんじゃねーが、お嬢さんらを島まで乗せてけばいいんだな？」

「お願いします。私は美咲で、こちらが茜です」

「よろしくでーす」

セオドールに漁港まで案内されたふたりは、小さな漁船に乗り込んだ。

船には網が乗せてあり、どこもかしこも魚の匂いがした。

「それじゃ、出港するぞ」

「はい」

セオドールが帆を操ると小さな漁船はスルスルと海上を走りはじめる。

「魔道具みたいな滑らかさですねー」

「腕がいいんだろうねぇ」

船が港を離れ、まだ陸が見えているあたりで岩礁が目に入った。

あらかじめ教えられていなければ、そこに生き物がいるとは思えないような小さな岩礁だった。

「白狼は……あれですかね」

「ああ、いるね。白いの」

島の中央のあたりに丸まった白い犬のような姿があった。

「もっと近付けるぞ」

「あ、はい。ゆっくりお願いします」

ゆっくりと船が岩礁に近付いていく。

「あれ？」

「美咲先輩、どうしました？　そろそろ射程距離だと思いますけど」

「……ねえ、あれ、本当に白狼？」

白い大型のイヌ科の動物であることは間違いない。

だがその額には、魔物の特徴といわれる魔石が見えなかった。

「犬、に見えなくもないですねー。額にはなにも付いてませんし」

「……攻撃中止。セオドールさん、できるだけ船を島に近付けてください。難しいですか？」

「こっちからなら座礁はせんよ。しかし、噛まれても知らんぞ」

セオドールは帆を畳むと、木の櫂《かい》を操り島に上陸できるように船を近付けた。

「行ってくるね」

「はい、なにかあったら魔法で支援します」

島に上陸した美咲は、マンゴーシュを抜いて犬に近付いていった。

「……グルルル」

犬は唸っている。が、人に慣れているのか、同時に尻尾も振っていた。美咲は肉を呼び出しパッケージを外すと、犬と自分の真ん中あたりに放り投げる。

犬は唸りながらもにじり寄り、肉に齧り付いた。

「お腹、減ってたんだよね。取らないからゆっくりお食べ」


犬の警戒は、数回目には肉を美咲の手から直接食べるまでに落ち付いた。

美咲＝ご飯をくれる人という式が犬の中ででき上がったらしい。

「それじゃ、今度は船だよ。おいで」

美咲が船に乗り、肉で犬を船におびき寄せる。

揺れる船が怖いのか、躊躇していた犬だが、食欲が勝ったのだろう。船に飛び乗り美咲の手から肉を食べた。

「人に慣れてますね。飼い犬だったんでしょーか」

「どうすんだ？　そんなんでも駆除すりゃ金になるんだろ？」

「セオドールさん、港に戻ってください。白狼はいませんでした」

「そうかい、お人好しなこった」

船が港に向かう途中、美咲はなんとか犬の体を撫でることに成功した。

体はやせ細りあばらが浮いているが、体躯は大柄で、秋田犬を思わせた。

頭を撫でていると、額に治りかけの三日月の傷があることが判明した。

岩礁に流れ着いたときに額に傷ができ、それを見た人が白狼と勘違いしたのかもしれないと美咲は推測した。

美咲は呼び出したナイロン紐を緩めに犬の首に巻き、即席の首輪とする。

犬は大人しく美咲の足下に座って、前足をぺろぺろ舐めている。

「美咲先輩、飼うんですか？」

「うーん、うちは食堂やってるから、動物はねぇ」

「美咲先輩にすっかり懐いてるみたいですけど」

「とはいっても、ここって旅先なんだよね」

「あー、ミストの町まで連れて帰るの大変そうですね」

美咲たちが犬の処遇について話し合っている間、犬は船に慣れたのか眠りはじめた。

「船の上だっていうのに、よく眠れますね、その子」

「本当にどうしようかな……無人島に置いてくるなんてできっこないし」


傭兵組合に戻った美咲たちは、岩礁にいたのは犬だったこと、その犬を連れ帰ったことをリンディに伝えた。

「それで犬なんですけど、私たちは旅をしているので連れていけないし、組合で引き取ってもらえませんか？」

「それはちょっと即答できかねます」

「それじゃ町中に放しちゃってもいいですかー？」

「えーと……」

困ったような表情のリンディ。

当然である。傭兵組合の受付嬢は野良犬の処遇を判断できる立場にはない。いまは大人しく見えるが、塀の中に野良犬を放って、なにか被害が出れば責任問題である。

「……なあ、デューイに聞いてみちゃどうだ？」

それまで黙っていたセオドールが口を開いた。

リンディはその名前を思い出そうと首を捻り、該当者を思い出した。

「デューイ……門番の？」

「ああ、夜番をひとりでやるのに、相棒が欲しいってボヤいてたからな」

「相棒、ですか」

「大人しい犬だが、番犬程度にはなるだろうさ」

リンディの案内でコティアの門に犬を連れて向かった美咲たちは、門番のひとり、デューイに犬を引き取らないかと持ちかけた。

「門番のお供にどうですか？　コティアの沖の島に流されてた犬なんですけど、人懐っこいですよ」

「随分と痩せてるなぁ」

「一カ月くらい無人島にいましたからね」

「どれ……逃げないな」

デューイが手を伸ばすと、犬はクンクンと手の匂いを嗅ぎ、その手を舐め回し、その場でひっくり返ってお腹を見せる。

千切れんばかりに尻尾を振り、遊んでアピールをする犬の体中をデューイは笑いながら撫で回していた。

「助けてあげた私よりも懐かれてるね」

「所詮は犬ですねー」

「それじゃこいつ、俺がもらってもいいのか？」

「その犬もデューイさんのこと気に入ったみたいですし、よろしくお願いします」

リンディがホッとしたようにそう答えた。

「おー、そうか、よしよし。お前はオスか。今日からお前はクレメントだ。いいかクレメント」

「オン！」

こうして、犬改めクレメントの行き先は無事に決定した。

「元気でね」

「またねー」

「浜も歩いたし、地引き網も引かせてもらったし、船にも乗ったよね。あと、やってないのってなにかあるかな？」

「泳ぐのは、季節的にはちょっと無理がありますし……お土産購入でしょーか」

「ああ、クロネで食べた焼き鳥に使ってた焼き塩、美味しかったよね。柚子塩みたいな感じで」

「ミストじゃお塩って高価ですから、お土産にちょうどいいんじゃないですかね」

ふたりはフラフラと町中を歩きながら土産になりそうな品を物色していた。

コティアでは、塩と、塩を使った干物などが交易品としてはポピュラーだ。

変わり種としては貝殻やサンゴを使ったアクセサリー。

アイテムボックスを使えば鮮魚も土産になるだろう。

あれがいい、これがいいと言いつつ、ふたりはさまざまな品物を買い漁って回った。


翌日、ふたりは日の出前から浜に出て、日の出を待っていた。

空が紫色から薄い青に変わり、水平線が白く染まって太陽が顔を覗かせる。

それをマントにくるまって眺めながら、美咲は、海でしたいと思っていたことが一通り終わったことを実感していた。

だが、まだ早すぎる。

ミストの町にはまだ帰れない。

「茜ちゃん、海以外に行きたいところとか、したいこと、ある？」

「私ですか？　海以外じゃないですけど、のんびり船でクルージングとか……は、この世界じゃ無理ですよねー」

「湖ならともかく、海じゃ難しいかもね」

船はあるが、沿岸部で漁をするためのものであり、外洋に出られるようなものはない。また、海上で観光するという概念がないため、そんなリクエストをすれば変な人扱いをされてしまうだろうと言う美咲に、茜は空を見上げながら、異世界ならではの要望を出すのだった。

「そしたら、鉱山の町とか行ってみたいですねー」

「鉱山っていうと、エトワクタルになるね。王都の北側の山脈方面だったかな？　金でも掘るの？」

「魔剣の素材とか見てみたいんです」

ついでに魔剣を作ってもらったりするのもいいですね、と茜は笑った。


それから帰りの便の都合が付くまで、コティアの町には三日滞在した。

浜辺でなにもせずに海を眺めたり、クレメントと遊んだり、傭兵組合でリンディに聞いたお薦めメニューを制覇したり、市場でいろいろ買い込んだりと、暇なんだか忙しいんだか、美咲たち自身でもわからないような時間を過ごし、帰る日がやってきた。

町中では、派手な色の服を着た、女神様の色の姉妹が商店街を練り歩いているなどと噂されていたようだが、幸いにして美咲たちの耳には入ってこなかった。

そして。

「今日でコティアともお別れですかー」

「なんか感慨深いね」

深山亭の前で馬車を待ちながら、そんな話をしていると、デューイがクレメントを連れてやってきた。

「お散歩ですかー？」

「ああ、今日は非番だから浜でクレメントと遊んでやるんだ」

わしゃわしゃとクレメントの首を荒っぽく撫でながらデューイが答える。

「オンオン！」

「ああ、わかった、早く遊びたいんだな。それじゃまたな！」

「はい、またでーす！」

茜が元気よく答えると、ひとりと一匹は海に向かって走っていった。

「仲よさそうでよかったね」

「そうですねー。クレメントもよく懐いてるよーですし」

深山亭の前で待つこと暫し、馬車がやってきた。

今回はマシューーという商人の馬車である。

「おはようございます。ミサキさんとアカネさんですね？」

背は低いががっしりとした体格の男性が声をかけてきた。

「はい、私が美咲です。マシューーさんですか？　ヒノリアまでよろしくお願いします」

「はい、こちらこそ。しかしコティアから荷物なしとは珍しい。お仕事で?」

「いえ、海を見に来たんです」

「ほう、物見遊山ですか。羨ましいことです。ああ、馬車は、あれに乗ってください」

マシューが指差した二頭立ての幌馬車に乗り込む美咲たち。

馬車の八割ほどは荷箱で埋まっている。

「なんか、微妙に魚臭くないですか?」

「干物でも積んでるのかもね」

馬車の中にタオルクッションを敷き、美咲たちは居場所を作る。マントを被り、座り心地のいい姿勢を探しながらもぞもぞしていると、馭者から声がかかり、ガタガタと音を立てて馬車が動き出した。

「動き出しましたねー」

「そうだね。茜ちゃん、この世界の海はどうだった?」

「地球の海とおんなじで驚きましたねー。海産物とかも一緒でしたし」

市場に並んでいた海産物は、地球のそれと酷似していた。

「タコとかいたね」

「カニもエビもいましたねー。見た目も味もそっくりで驚きました」

「地球とこっちの世界とで、昔、生物の往来があったのかもしれないね。人間がいる時点で生物相は似たようなものなんだろうし」

魔物のような例外はあるが、別々に進化した世界とは思えない相似性を感じる美咲だった。

「せーぶつそーってなんですか？」

「とりあえず生き物の種類とかだと思っといて」

「はーい。でもこっちには角兎とかいますよね」

「地球では絶滅したのかもね。それかこっちで進化した動物なのかな。そういえばこの世界、角のない兎もいるらしいよ？」

進化なのか突然変異なのか知らないけど、角がないほうが逃げ足は速そうだよね、と美咲は笑った。


塩の道は、内陸に向かう分、復路は緩やかな上り坂になっている。

当然、往路よりも足は遅くなる。

のんびりペースで馬車はクロネに向かう。

それでも日が傾き切る前にはクロネの町に到着した。

「クロネの周りは相変わらず揺れますね。勘弁してほしいです」

道路の凹凸でガタンガタンと揺られ続け、茜は少し顔色を悪くしていた。

「林業の町だって話だったから、木材とかの重量物の運搬で道が悪くなってるのかもね。町の外は土がむき出しの地面だし」

「町の外まで石畳にするのはお金がかかりすぎるんでしょうけど、砂利でも撒いてほしいですねぇ」

「砂利道だと馬車がうまく走れないのかもね」

クロネの町の門をくぐると、馬車は少し入ったところで停車した。

「お客さん、お疲れさまでです。明日は切り株亭の前に集合です」

「はい、ありがとうございました」

「マシューさんたちも切り株亭に宿泊なんですねー」

「行商人に人気の宿なのかもね。今回は私たちは別の宿にしてみる？」

「そーですねー。せっかくですから、ちょっと覗いてみましょーか」

ふたりは連れ立って、つい先日歩き回ったばかりの町をまた歩く。

と、唐突に茜が足を止める。

「美咲先輩、なんか匂いませんか？」

「え、なんの匂い？」

林業の町というだけあって、材木の匂いがあたりを包んでいる。

日暮れ前ということで、煮炊きをする匂いもする。

「んーと、茹で卵……いえ、硫黄の匂い、みたいな？」

「ん？　そういえば微かに……こっちかな？」

匂いを頼りに歩いていると、楠亭という宿に到着した。

「ここっぽいですよねー」

「そうだね。ちょっと聞いてみようか。すみませーん」

美咲は楠亭の中に入り、カウンターに座っている全体的に丸いおばさんに声をかけた。

「はいはい、お泊りですか?」

「いえ、なんか硫黄の匂いがするんですけど、この匂いってこちらですか?」

「あー、温泉ね。うちの売りなんだけど、知ってるかい? 温泉」

「あ、はい。知ってます。へぇ、温泉ですか」

「あー、それでこんなに匂いがしたんですねー」

茜が納得顔で頷いた。

「そうそう、お嬢ちゃんもの知りだね。美人になる温泉だよ」

「温泉入ると一泊おいくらですか?」

「泊まってくかい? 二百五十ラタグだよ。温泉は入りたい放題。朝夕の食事付き」

「美咲先輩、ここに泊まりましょーよ」

「あー、うん、そうだね」

美咲はそう答えながらも、宿の中に目を走らせる。

受付周辺は綺麗に掃除がされており、食堂には町の人間と思しき客が数組。客の中には女性の姿もある。それらを見て、これなら安全であろうと判断し、美咲は頷いた。

楠亭にツインルームを取ったふたりは、部屋に入るなり部屋着に着替え、タオルを持って温泉に向かった。

お湯の色は乳白色。源泉のお湯をかけ流しにしているそうだ。

ふたりは髪をお湯につけないようにタオルで丸めたあと、お互いの背中を流し、ゆっくりとお湯に浸かって旅の疲れを癒やした。

「茜ちゃん、のぼせないようにね」

「はーい……美咲先輩、このお湯、なんでこんなにミルク色なんでしょーか？」

掌でお湯を掬い、茜は不思議そうな顔でお湯の匂いを嗅ぐ。

「湧き出したときは透明で、酸化して白くなるって聞いたような気がするけど」

「錆びみたいなもんなんですかね」

「まー、そんな感じで納得してお風呂浸かってよーよ。美人になれるって言ってたよ」

「どこでも言いますよねー。お肌がツルツルにー、とか」

「ツルツルに関しては角質をしっかり落とすって意味では事実だと思うけどねー」

温泉から出て部屋に戻ると、のぼせた茜はベッドに倒れ伏した。

そんな茜を美咲はパタパタとタオルで扇いでいる。

「だからのぼせないようにって言ったのに」

「もう一種類の温泉が隠れてるなんて卑怯ですよ。入るに決まってるじゃないですか、そんなの」

「壺風呂ね。随分と変わった趣向の温泉だったよね」

人がひとり、ゆったりと浸かれるサイズの大きな壺に、透明で塩味の強いお湯が入ったそれは、壺風呂だった。

そこにしばらく浸かった茜は、体についた塩水を洗い流したところでフラフラになっていた。

「別の源泉から温泉が壺に流れ込んでくるとは思ってもみませんでしたよ……でも気持ちよかったです」

「それで骨抜きなんだから、茜ちゃん、温泉はほどほどにね」

茜はガウンを羽織り、ウエストを紐で結んでいる。大人しくしている分には問題はないが、フラフラ歩かれると湯あたりで倒れないとも限らない。この格好で倒れたらちょっとした惨事だ。

「茜ちゃん、氷出してあげるから。首筋にでも当てておこう」

ヒノリア領主の娘に頼まれたときと同じ氷作製技術で、適正な温度、適切なサイズの氷礫ができ上がり、美咲はそれを革袋ではなくタオルでくるむ。

「あー、心地よいです」

タオルでくるまれた氷は茜の体温で溶け、タオルに染み込んでいく。冷水で濡らした状態になったタオルを額に載せ、茜は幸せそうに吐息を漏らした。


翌朝、楠亭を出た美咲たちは切り株亭の前でマシューの馬車と合流した。

旅程はクロネからバーギスまで。

クロネから離れるほどに道のでこぼこはなくなっていく。

人里から離れるほど、路面がよくなる不思議さに首を捻りつつも美咲たちは馬車で揺られていた。

「茜ちゃん、チョコ食べる？」

「はい、いただきまーす」

チョコを齧りながらあたりの風景が林から草原に変わっていくのを眺めていると、突然馬車が停車した。

「魔物でも出たかな?」

「それにしては静かですね」

しばらく様子を窺っていると、前方が騒がしくなってきた。

美咲たちも馬車を降りて前方を窺う。馬車が止まった理由はすぐにわかった。美咲の胴ほどの太さの木が倒れて道を塞いでいた。

どうやら倒木らしい。

数人がかりで斧で倒れた木を切っては道端に投げ捨てている。

「道路ってこうやって維持してるんだ」

美咲の呟きに馭者が答えた。

「基本的には領主様が維持してるんですがねぇ。通りかかったキャラバンが処理することも多々ありますよ」

「報酬とか出るんですか?」

「いえ、ただ働きになっちまいますね」

「大変なんですね」

「まあ、この程度なら慣れたもんですよ。ほら、もうすぐ道が開きますから馬車に戻ってくださいね」

「はい。茜ちゃん、戻ろう」

「はーい……倒木なんて、盗賊フラグかと思っちゃいました」

倒木で馬車が止まったところを盗賊が襲うなんてテンプレなんですけどね、と茜が呟くが、美咲はこの世界で町の外で盗賊が活動するのは無理だと指摘した。

「塀の外にいたら魔物に襲われちゃうんだから、盗賊が徘徊するのは難しいんじゃない？」

「あー、魔物を倒せるくらいに強かったら傭兵とかで稼げますもんね……なるほど。魔物がいるファンタジー小説によく出てくる盗賊って、リアルじゃないんですね」

「その世界の魔物が野犬程度の強さとかなら、盗賊がいてもおかしくはないかもだけどね」


バーギスに到着した美咲たちは、前に宿泊した黄緑亭以外によい宿がないかと歩き回った。

宿は数軒ほど見付かったが、黄緑亭以外は民家をそのまま宿に転用したような建物で、飛び込みで宿を取るのは少し不安を感じさせる佇まいだった。

「来るときも思いましたけど、やっぱりこの町、少し寂れてる感じがしますねー」

「農業の町だからねぇ。宿は黄緑亭が一番よさげだね」

「冒険はやめときましょうか」

「そうだね、今回は実績のある宿にしとこうか。それにしても人通り、少ないね」

美咲たちが来たのが数週間遅ければ、小麦の収穫時期を迎えて賑わいを見せていたかもしれないが、少し時期が悪かった。

黄緑亭にツインルームを取った美咲たちは、土産になりそうなものを探しに町に繰り出した。

だが、置いてあるものはどこかで見たことがあるようなものばかりだった。

「茜ちゃん、麦わら帽子とかどう？」

「色付きがあれば欲しいですけどー」

「染色したのはなさそうだね。んー、あとは……広瀬さんたちにお酒でも買っていこうか」

「お酒ですか。それなら美咲先輩にお任せします。美味しいのだったらまた欲しいとか言い出しそうですし」

「あはは、そうだね」

小川と広瀬のために数種類の酒を買い、アイテムボックスに収納する。

散策にも飽き、黄緑亭に戻るとそこは戦場だった。

「なに？　何事？」

食堂周りが大掃除中で、厨房のほうまでバタバタしている。

忙しそうに走り回っていた少年を捕まえて話を聞くと、急に町の偉い人が食事に来ることになったと言う。

「町の偉い人ってまた曖昧ですねー」

「町長とか、領主とか、代官とか、そういう立場の人ってことだろうけど、急に来るなんてなんなんだろうね？」

「今日は部屋にこもってましょーか」

「そうだね。食事は勿体ないけど、偉い人と同じ食堂で食事とか緊張しそうだし。おにぎりかサンドイッチでも呼び出そうか」

「それじゃ、女将さんに伝えてきますね」


その日の夕刻、美咲たちの部屋に女将が訪れた。

この町の代官が美咲たちに会いに来ていると言う。

「あの、なんで私たちに？」

「王都の巫女様だと伺っています。門番が連絡したそうです」

「……ってことは、目当ては私か。茜ちゃん、ちょっと行ってくるね」

「はい。なにかあったら呼んでくださいねー」

美咲が食堂に下りると、この町の代官なのだろう、落ち着いた雰囲気の紳士が待っていた。

その紳士は、美咲が姿を現すと、立ち上がって頭を下げた。

「お呼び立てしてしまい、申し訳ありません。バーギスの代官、スティーブン・ボーマンです」

「先の復活祭で春告の巫女を務めた美咲です……どこで私のことを？」

「有名ですよ。いままでにない春告の巫女という大役を務められたミサキ・サトーのことは」

美咲が滅多に名乗らない名字まで知っていた。

「よくお調べになっていますね」

「この町は自由連邦の穀倉地帯です。復活祭にはいつも多額の寄付をさせていただいておりますゆえ」

この世界に個人情報保護を求めるのが間違っているとは理解していたが、どうやら積極的に情報が売られていたようだと美咲は判断した。

「それにしてもよく、私がいるとわかりましたね」

「先日、あなたがこの町を通過されたときに、女神様の色、ユフィテリア様と同じ髪型をした少女がいたことを門番が覚えていまして、ミサキ様ではないかと調べておりましたところ……」

「また、私がこの町を通りかかった、と」

「はい、その通りです」

つまり、このスティーブンの中では、佐藤美咲＝春告の巫女＝女神様の色でポニーテールという図式があったということになる。

「それで私になにか？　巫女は務めましたが、それ以上のことはできませんよ？」

女神の口付けの話も伝わっているのだろうか、と美咲は身構える。

「どうぞ、椅子におかけください……このバーギスは自由連邦の穀倉地帯です。バーギスの神殿で、春を告げる巫女様に祈りを捧げていただけたらと思いまして。お礼はいたします。これも民のため、お願いできないでしょうか」

そう言って頭を下げるスティーブンに、美咲は毒気を抜かれたように、椅子に腰かけた。

「……食事は済ませましたので、お話だけ伺います」

「ありがとうございます。この町は農業の町ですので、復活祭は盛大に行われます。例年はエトワクタル王国の王都にも負けない賑やかな祭典となるのですが、今年はエトワクタル王国では春告の巫女が祈りを捧げたというではありませんか。町には信心深い者が多く、この町の復活祭に春告の巫女がいなくてもよかったのかと不安に思う者も多かったのです」

「……そこに私が通りかかったと……」

美咲が見る限り、スティーブンに悪意はなさそうに見えた。

宿の者たちの反応から、スティーブンは民には好かれているようにも見える。

ならば、これ以上話を長引かせても仕方がない、と美咲は考えた。

「わかりました。神殿はあるんですよね？　明日は朝から出立なので、いまから行って、春告の巫女としての祈りを捧げましょう。それでいいですか？」

「ありがとうございます。準備はなにか必要でしょうか？」

「女神像の前に灯りと供え物を。巫女の衣装はもらったものがありますし、聖典はなくとも、聖句はまだ覚えています……準備をしてきますので、神殿のほうを整えておいてください」

美咲は席を立ち、部屋に戻った。

部屋に入ると茜が飛び付いてきた。

「美咲先輩、大丈夫でしたか？」

「うん。春告の巫女として神殿で祈りを捧げてほしいって。ちょっと着替えるね」

美咲は、アイテムボックスにしまったままにしていた巫女の衣装を取り出すと、茜に手伝ってもらいながらそれに着替えた。

聖典は神殿に返してしまっていたが、衣装は美咲に合わせて誂《あつら》えたものだからと二着ともらっていたのだ。

精進潔斎については間に合わないから勘弁してもらうしかない。

「あんまり巫女さんぽくないですね？」

着替えた美咲を見て、茜が首を傾げた。

「緋袴《ひばかま》じゃないしね。服の作り自体は和服っぽいところもあるんだけど……えーと、茜ちゃんも来る？」

「はい、なにかあったら助けますからね」

「うん。大丈夫だと思うけどよろしくね」


神殿に着いた美咲は、神殿内を見回した。

作りは王都のものと異なっており、石碑は配されていない。

純粋に女神像に祈りを捧げるための礼拝施設のようだ。

「……なるほど。それでは祈りを捧げて参ります。祈りの間、神殿の中には入らないように」

「よろしくお願いいたします」

スティーブンと、町の顔役数人が神殿入り口で美咲に頭を下げた。

美咲はそのまま女神像の前まで歩を進め、女神像を見上げた。

そして、その場に跪き、祈りを捧げた。

数分で祈りは終わり、美咲はゆっくりと立ち上がる。

そのまま神殿入り口まで戻り、

「終わりました」

と告げると、町の顔役たちはホッとしたような表情を見せた。

「それでは夜も更けてきましたのでこれで戻りましょう」

「ミサキ様、こちらはお礼の品です。お納めください」

お納めくださいと指し示されたほうを見ると、荷物を満載した馬車がいた。

それを見て、美咲は頬が引き攣るのを必死に我慢しながら微笑み、

「いえ……その、祈りに対価は不要です」

と言って、茜のもとに戻った。

「美咲先輩、お疲れさまでした」

「帰ろっか。もう眠いよ」

「ですねー」

「ミサキ様、馬車でお送りします」

スティーブンが追いかけてくるが、

「大した距離ではありませんから、宿までは歩きます」

と美咲はそれを固辞した。

「美咲先輩、その服装だと歩くの大変じゃないですか？」

「歩くのはさんざん練習したから大丈夫。それより早く帰って寝よう」

「はーい」


翌日はホッキズの町に宿泊。

酪農の町である。

美咲は、ここでもバーギス同様、春告の巫女としての仕事が舞い込むかもしれないと警戒していたが、幸い、宿に誰かが押しかけてくるといったことはなかった。

「美咲先輩、ここはひとつ、全部の町の神殿で言われる前に春告の巫女のお祈りを」

「しないよ。バーギスでは頼まれたから仕方なくやったんだから」

報酬はもらわなかったが、王都の神殿に断りもなく神事をしてしまったのだ。神殿にバレたら怒られるかもしれないと美咲は心配していた。

「それにしても、ホッキズも本当になんにもないところですねー」

塩の道にある町なので、行商人相手の宿と、特産品を扱う店はある。だが、見て楽しめるような施設はひとつも見当たらない。宿で夕食を食べながら茜はぼやいた。

「酪農の町だから、乳製品、お肉なんかも種類が豊富じゃない。今日町で買ったソーセージとか、多分、いいお土産になるよ」

「あー、あれは確かに美味しかったですねー」

味見させてもらったハムやソーセージを思い出し、茜の頬が緩む。

「ほかにも、チーズなんかは一通り買ったし、お土産はこれでだいたい揃ったかな。大量に買ったけど手ブラで済むなんて、アイテムボックスって本当に便利だよね」

「美咲先輩、最初はゴミ箱扱いしてましたけどねー」

「あー、あはは。あったね、そんなことも……うん、このベーコンも美味しいねぇ」

本日の宿は往路と同じ角兎亭である。

夕食は往路のときとは異なり、分厚いベーコンを中心とした料理で、しっかりとした食感と肉の旨みが感じられる品だ。

たくさんの野菜を煮込んだスープが付いているのも、美咲的にはポイントが高い。

「そうですね。おにーさんが好きそうな味です。こうした食事は呼べないんでしょーか?」

「んー、宿の食事だとどうなんだろうね？　食堂の食事なら、食器なしで出てくるけど」

宿代は一泊二食付きでいくらと決まっているのだから、食事単体では呼べないような気がするね、と美咲は呟いた。


ホッキズの次はノージーの町。大きな淡水湖の畔の町である。

往路で食べ物の類いは一通り買い漁っているが、見落としがないかと市場を見て回る。

「美咲先輩、アクセサリーがありました」

「へー、どんなの？」

「これです。貝殻で作ったブローチですかね」

薄桃色の貝殻で形作られた八重桜のようなそれを、茜が手に取る。

「あー、貝殻に穴を開けて糸で結んであるんですね。接着剤ってわけにはいかないですからねー」

「色も何種類かあるんだ。面白いね、フェルに買っていこうかな」

「あー、似合いそうですねー」

美咲はちょっと考えて同じものを五つ購入した。

「随分買うんですね」

「んー、フェルにアンナにベル、あと、シェリーさん、キャシーさんにもお世話になってるからね」

「なるほどー。私もうちの使用人たちになにか買っていこうかな」

「セバスさんたちね。いいんじゃない？　そういえばセバスさんたちってどうやって茜ちゃんの家に来たの？」

人を雇うという経験をしたことのない美咲が首を傾げる。

「商業組合からの紹介ですよ。セバス以外はお薦めされたリストの上位何人って選びました。面接とかやれって言われてもできませんし」

「セバスさんは違うんだ？」

「セバスは名前で選びました。執事といったらセバスチャンですから。あ、でもセバスには内緒にしといてくださいね。いまではセバスを選んでよかったと思ってるんですから」

茜はそう言って、楽しげに笑った。

翌日。

往路と同じく。

「荷物はない？　では国境通行税、ひとり千ラタグです」

というお決まりの台詞とともに国境を越えた美咲たちは、エトワクタル王国に帰国した。

エトワクタル王国に入った美咲たちは、ヒノリアの町で馬車を降り、マシューに礼金を渡した。

マシューとはここでお別れである。ここから先、マシューは王都に向かうが、美咲たちの目的地は王都ではない。

「どうもお世話になりました」

「いえいえ。またのご縁がありましたら、ご贔屓に」

「ありがとーございましたー」

美咲たちに見送られ、マシューの馬車は鉄壁亭に向かっていく。

「さて、宿はどうしようか」

「また鉄壁亭ですかね？」

「前来たときに見に行った白薔薇亭に行ってみない？」

「あー、ありましたね。一見さんお断りみたいな宿。行ってみましょーか」

白薔薇亭は、相変わらず、新規顧客にはあまり優しくなさそうな雰囲気を漂わせていた。

まず扉が閉じている。看板は出ているが、営業中なのかが一見してわかりにくい。

窓も鎧戸は開いているが、ガラスがはまった窓からは中を窺えない。

夜なら温かい灯りが漏れるのだろうが、昼間だと屋内のほうが暗いため雰囲気が暗い。

落ち着いた雰囲気と言えなくもないが、初めて訪れる客に対する敷居は高い。

「こんにちは」

「いらっしゃいませ。白薔薇亭へようこそ」

扉を開いて中に入ると、銀髪の品のいい老婦人が出迎えた。

「ツイン、とりあえず一泊お願いします。もしかしたら伸びるかもですが」

今回は、ここヒノリアから王都の北側にある鉱山の町キナムに向かう便を探さなければならないため、数日、連泊することになる可能性がある。

「畏まりました。宿帳にサインをお願いいたします」

美咲と茜がサインをすると、女性は一瞬驚いたような表情を見せたが、すぐに穏やかな表情に戻り、鍵を持って美咲たちを先導する。

「ご案内します。お荷物はお持ちでは？」

「ありませんので、部屋に案内お願いします」

部屋に案内された美咲と茜は顔を見合わせた。

「美咲先輩、どう思います？」

「私たちの名前に反応してたように見えたよね？」

宿帳にサインをしたときの女将の反応である。

「私たち、じゃなくて美咲先輩の名前に反応してましたよ。また春告の巫女とかじゃないですか?」

「やっぱりそれかなぁ」

美咲はベッドに座って頭を抱えた。

「この世界じゃ個人情報保護法なんてありませんからねー。今頃、領主にご注進ってなってるかもですねー」

「あー、考えたくないなぁ。宿は鉄壁亭にすべきだったかな」

「全部の宿に美咲先輩の名前が連絡されてるんじゃないんですかね?」

「うー、それもそうか……あー、考えてもしょうがない。キナム行きの便を探しがてら散歩行こう」

「はーい」


美咲たちが散歩から戻ると、白薔薇亭の馬車寄せに高級そうな馬車が停まっており、その周りに騎士なのだろうか、揃いの鎧を着た男女が立っていた。

騎士は美咲たちの顔を見て、なにやら頷き合っている。

「美咲先輩のお迎えでしょうか」

「縁起でもないこと言うのやめて。多分そうだとは思うけど」

白薔薇亭に入ると、金髪の女性がティールームの椅子に腰かけてティーカップを傾けていた。

それは、往路でヒノリアに来る途中、弟が急に高熱を出し、美咲が氷を出して急場を凌《しの》いだときに出会った少女だった。

美咲と目が合うと、少女は微笑みを浮かべて会釈をした。

「あれ？　えーと、ロレインさん？」

「はい。覚えていてくださったのですね。ミサキさん」

「弟さんは大丈夫でしたか？」

「お陰さまで快癒しました。その折は本当にありがとうございました」

ロレインは綺麗な笑みを浮かべてそう言った。

「お礼はもういただいてますよ。それで、今日はどうされたんですか？」

「ミサキさんとふたりきりでお話をしたいと思って、訪ねて参りました」

「美咲先輩、私は部屋に戻ってますね」

ロレインの様子を見て、おかしな話ではないだろうと判断した茜は、そう言って部屋に戻っていく。

残された美咲に、ロレインの従者らしい女性がロレインの対面の椅子を引き、着席を促した。美咲が椅子に腰かけると、従者は美咲の分の紅茶を用意し、音もなく美咲の前にティーカップを置く。

「ミサキさんは……春告の巫女様でよろしいんですのよね？」

「えーと、はい、務めさせていただきました」

「選定はどのようになされたのですか？」

真っ直ぐに美咲の目を見ながらロレインはそう尋ねた。

「候補は私と、さっき一緒にいた茜ちゃんって子のふたりでした。それで、アルバート王子が見極めました。なにが決め手になったのかは聞いていません」

「……そうですか。アルバート王子はどういう方でしたか？」

「気さくな方ですね。平民の私にも、普通に接してくれました。あと、おそらくはとても生真面目な方なんだと思います」

「気さくで生真面目ですか」

「ええ、だからか、選定はとても苦労されていたようですけど」

「そうなんですの？」

小さく首を傾げるロレインに、さすが本物のお嬢様は絵になるなどと考えながら美咲は答えた。

「最初のうちは選定の基準がわからんって悩んでましたから」

「最初のうちは？」

「後半は……神託があって、その、側室候補に相応しい者を選ぶとかいう話になりました」

条件が条件だけに、口ごもる美咲。ロレインは驚きもせず、美咲に質問を続けた。

「そうですか。ということはミサキさんはアルバート王子の側室になるんですか？」

「いいえ。アルバート王子も平民をそんな立場に置くわけにはいかないって言ってましたし、私もその気はありません」

礼儀知らずの平民ですから、と紅茶を飲みながら美咲は苦笑いを浮かべた。

「まあ……玉の輿でしょうに」

「アルバート王子はいい人だと思いますけれど、お慕いしているわけではありませんので」

「……ごめんなさいね」

突然謝ったロレインに美咲は困惑したような表情を見せた。

「あの、なにを謝られているのかわからないんですけど？」

「実は、このお話、すでにアルバート王子から聞かされてましたの」

「はい？」

「わたくし、ロレイン・モーランは、アルバート王子の婚約者なんです。ミサキさんのことはアルバート王子から聞いておりましたのでお会いしたいと思っておりましたの」

「……えーと、弟さんの熱は……」

最初の出会いから仕組まれていたのだろうかと美咲が首を傾げるが、ロレインは首を横に振った。

「あれは本当に偶然ですわ。お名前を伺ってミサキさんだと気付きましたの」

春告の巫女についてはアルバート王子から聞いていたという。

特に、神託にあった側室に相応しい者であること、という一文は、あくまでも候補の選定基準であり、美咲を側室に迎えるつもりはないということは何回も念を押して説明をされていたとのことだ。

「それでもアルバート王子が選んだミサキさんと一度お話をしておきたいと思っておりましたの」

ロレインはそう言って微笑んだ。

「あ、美咲先輩、お帰りなさい。どうでした?」

「……疲れたー」

ロレインが帰ったあと、美咲は部屋に戻りベッドに突っ伏した。

「なにがあったんですか?」

「ロレインさん、アルさんの婚約者なんだってー」

「あー、それはお疲れさまでした。てことは、お話は側室候補のことですか?」

「ん。本当に相応しいか見定めたかったみたいだけど、その気がないって言ったら謝って帰っていった」

「いい人みたいですけど?」

「アルさんには勿体ないくらいできたお姉さんだったよ」

ベッドの上でごろりと仰向けになり、美咲は両手をいっぱいに伸ばした。

「なんにしても疲れたよー……あ、ところで連泊するって女将さんに伝えてくれた?」

「はい。明後日出立するので、一泊追加って伝えておきました」

次の町までの便が明後日までなかったため、二泊することにしたのだ。

美咲が伝えるつもりだったのだが、ロレインの登場ですっかり美咲の頭から抜け落ちていた。

「ありがとね。えーと、キナムの町だっけ。どんなところだろうね」

「鉱山の町って話ですけどねー。ドワーフが多いとも聞きますね」

王都のそばの町だからか、キナムの町については茜が情報を持っていた。

「ドワーフか……見たことないなぁ」

「なに言ってるんですか。ミストの町で私がお世話になってる工房の親方、ドワーフですよ」

「え、そうなの？　普通のおじさんだと思ってた」

「……手と足が妙に短い割に太くなかったですか？」

「んー……言われてみれば確かに。それがドワーフの特徴かぁ、エルフと比べるとわかりにくいね」

エルフも耳が見えてなければそれとわかるほどの特徴はない。むしろ隠しにくい手足に特徴のあるドワーフのほうが見分けやすいかもしれないなどと思う茜であった。

「ところでそろそろ夕食じゃない？」

「んー、そうですね。食堂に行ってみましょう」

白薔薇亭の夕食は小さな皿に少量ずつ、いろいろな料理が盛られたものだった。

テーブルいっぱいに、綺麗に盛り付けられた小皿が並ぶ様子を見て、ふたりは楽しくなっていた。

「綺麗ですねー」

「コース料理を一度に出してるみたいな感じだね」

「あー、確かに。うちのロバートもたまに似たようなの作りますよ」

「それじゃ、これってきっとエトワクタルの上流風なんだね」

個々の料理は普通に美味しいが、それ以上に全体的に彩り美しく、器にも気を使っているのがわかる。量はさほど多くないため、それを期待する客には不向きだが、ニックに上品と評されていただけのことはある。

「鉄壁亭の夕食も悪くなかったけど、私はこっちのほうが好きですねー」

「そうだね。あそこはどっちかっていうと男の人向けだったよね。酔っ払いも多かったし」

夕食を食べ終え、お茶を飲みながら美咲たちがまったりしていると、

「こちらをどうぞ」

と、女将が金属製の小さなコップにジュースをふたつ持ってきた。

「ジュースですか？　頼んでませんけど……」

「グレッグ坊ちゃんの命の恩人と伺っております。私は以前、グレッグ坊ちゃんの家庭教師を務めておりましたので、これはお礼と思ってください」

「……お断りするのも無粋ですね。ありがたく頂戴します」

美咲がそう言うと、女将は微笑み、カウンターに戻っていった。

「人助けはするものですねー」

「ん。そうだね」

ジュースは桃に似た味がした。


翌日は、ヒノリアで休養日となった。

エトワクタル王国の玄関口と言われるだけあり、ヒノリアは大きな町だった。

美咲たちは市場巡りを楽しみ、面白い魔道具がないかと魔法協会を訪ねたりもした。

門は東西に開かれており、北側には塩湖が広がっていた。

塩湖周辺は関係者以外立ち入り禁止とされていたため、近付くことはできなかったが、小さな塔から湖を眺めることができ、美咲たちは塔からの展望を楽しんだ。

「塩湖って言われなければただの湖に見えますねー」

「そうだね。でもきっと生き物とかいないんだろうね」

実際にはそこまでの塩分濃度はなく、小エビや貝は棲息している。

だが、美咲の知っている塩湖は、死海やウユニ塩湖といった特殊なケースばかりなので、その誤解もやむなしだろう。

「ここで王国の塩の半分を生産しているんですねー」

「そう考えると、結構凄いね」

「湖の塩ってどこから来てるんでしょーね？」

茜の疑問に、後ろから答えがあった。

「川から流れ込んでるんですよ。川は山から塩を運んできています。そして水が蒸発して塩湖になってるんです」

振り向くと、エルフの女性が立っていた。

「教えてくれてありがとーございます。あなたは？」

「初めましてお嬢さん。私はこの塔の管理人ですよ。たまにこうやって観光案内みたいなこともやってます」

「管理人さんですか？」

「正しくは見張り番ですね。湖にこっそり近付く人に注意したりするんです」

「私たちはそんなことしてませんよー」

「わかってます。だからいまは観光案内のつもりで出てきました」

管理人のエルフはそう言って微笑んだ。笑顔になると随分と若く見える。

「あ、それじゃ、せっかくですから教えてください。湖周辺が関係者以外立ち入り禁止っていうのはどうしてなんですか？」

「貴重な塩湖ですからね。領主様が保護しているんです」

美咲の質問に、管理人はそう答えた。

この塩湖はエトワクタル王国の塩の半分を生産する拠点である。

ここがなくなれば、王国は自由連邦に塩のほぼすべてを依存することになる。

そのような事態が万が一にも起こらないようにするための施策だと管理人は答えた。

「大変なお仕事ですね」

「実際には子供がいたずらで潜り込むのを叱るだけのお役目ですけどね」

「ひとりでこんな広い湖を監視だなんてどうやってるんですか？」

「んー、そこはいろいろ秘密があるんです」

「どんな秘密ですかー？」

「それを言ったら秘密になりませんよね。そうですね、魔法の一種だとだけ教えてあげます」

管理人はそう言って、いたずらっぽい笑みを浮かべるのだった。

翌日、美咲たちはヒノリアの町を離れ、キナムの町へと向かった。

キナムの町は、王都北方の黒の山脈に面した町で、鉱山と鍛冶の町とも呼ばれている。

キナムまではジェロームという商人の馬車に乗せてもらうことになった。

馬車にはほかにも母娘連れの客が乗っており、美咲たちは馬車の奥のほうで大人しくしていた。

「お嬢ちゃんたちはふたりでキナムに行くのかい？」

母親のほうが美咲たちにそう声をかけた。

美咲たちの外見は、この世界の基準で見るとまだ子供である。

親切心から声をかけられたとわかっているので美咲も怒ったりはしない。

「はい。ちなみに私は成人していますよ」

「おや、それは失礼したね。そっちのお嬢さんもかい？」

「こっちはもう少しで成人ですね」

それで話が終わるかと思いきや、おばさんは美咲を暇潰しの相手にちょうどいいと考えたようだ。

「キナムにはなにをしに行くんだい？　あ、あたしゃ、タバサだよ。キナムには旦那がいるのさ」

「主に観光ですね。私は美咲です」

「おや、キナムで観光かい？　鉱山と鍛冶屋くらいしかない町なんだけどねぇ」

「これでも傭兵ですから、鍛冶屋にはちょっと興味があるんですよ」

「傭兵……おやおや、本当に。緑とは大したもんじゃないか」

美咲の首元のペンダントを見てタバサは感心したように言った。

緑といえば中堅である。

傭兵組合でもそれなりに難度の高い依頼を受けることができるため、世間一般の評価もけして低くない。

「ミストの町でそこそこ頑張ってますので」

「あらま、ミスト？　あそこの魔法協会の会長さんね、私の知り合いなのよー」

「えーと、娘さんのほうなら知ってますよ。フェルは傭兵組合で私のパートナーですから」

「あらそうなの？　フェルちゃん、大きくなったんでしょうねー。前に会ったときは、まだ小さい子供だったから」

「そうですね。立派な傭兵になってますよ」

「ところで、鍛冶屋に興味があるんだっけ？　キナムに着いたらエイブラハムって頑固親爺がやってる鍛冶屋があるから覗いてみなさいな。武器に関しちゃ腕は確かだって評判だよ」

それからもタバサのトークはとどまるところを知らず、美咲はキナムの町までタバサの相手をし続けるのだった。

なお、茜はタバサの娘と仲よく眠っていた。

キナムの町では、門をくぐる際に簡単だが審査があった。

「傭兵か……訪問の目的は？」

「観光です」

「キナムの町でか？　……まあいい。次」

という程度のものではあったが、国境を通るときでさえ聞かれなかった訪問の目的を聞かれ、美咲と茜は首を傾げた。

「貴重な鉱石も産出するし、魔剣も作ってる町だからね。おかしな連中が入らないように国が守っているのさ」

とは、タバサの言である。

タバサにお薦めの宿がないか聞いたところ、タバサの友人がやっているという鉄床亭《かなどこてい》という宿を紹介された。値段はそこそこ高いが、安全な宿だとの話である。


鉄床亭は馬車が通る大通りから一本入った少しわかりにくい場所にあった。ただし裏通りというわけではなく、宿の周りには何軒かの食事処が軒を連ねている。鉄床亭の看板は、宿の名前の通りに鉄床の形をしており、宿と知らなければ鍛冶屋と勘違いしたかもしれない。

「ここですね。鉄床亭」

「名前からもっとごついのを想像してたけど、随分と綺麗な宿だね」

鉄床亭でツインルームを取った美咲たちは早速散策に出かけた。

町には行商人向けの店はほとんどない。あっても宿か食事処か金物屋だった。鉄床亭から離れたエリアには、鍛冶屋が何軒もあり、槌《つち》の音が響き渡っている。

「お土産になりそうなものはなさそうだね」

「いえいえ、なに言ってるんですか。鍛冶屋がたくさんあるじゃないですか」

「包丁でも買うの？」

美咲がそう尋ねると、茜は首を横に振った。

「それも面白そうですけど、できれば日本刀みたいなのを作ってもらいたいですねー」

「このあたりの武器って西洋風だと思うんだけど。日本刀はないんじゃない？」

ファンタジー小説などでは、西洋風の世界観の中に日本刀が登場するものも少なくはないが、そうした話を知らない美咲からすると、西洋風の文化圏に見えるエトワクタル王国周辺に日本刀がないのは至極当然の話であった。

「はい、ないでしょうね。だから作ってもらうんです」

「日本刀って……茜ちゃん、作り方知ってるの？」

「……軟らかい鉄を硬い鉄で包んで、何回も折り曲げる、とか？」

茜は自信なさそうにそう答えた。

「その説明でできちゃったら、刀鍛冶の人、泣くよ、きっと」

「ですよねー……でも似たものがないか探してみたいとは思ってるんですよ」

「あるのかなー」


目に付いた鍛冶屋に入った美咲たちは、いきなり、これじゃない感を味わうことになった。

まずほとんどの鍛冶屋が武器を置いていなかった。

当たり前である。

武具屋ならともかく、鍛冶屋である。

そもそも扱う商品は鍛冶屋によって異なるし、刀剣類は使用する金属の種類と量から、それなりに高価になる。どこにでもあるというわけではないのだ。

「えっと、エイブラハムさんだっけ、その鍛冶屋を探してみようか」

「どこにあるんですか？」

「さあ……」

通りかかった人を捕まえて聞いてみると、三人目で知っている人を見付けることができた。

かなり奥まったところにその鍛冶屋はあった。

鍛冶仕事をしているのだろう。奥からはカンカンと槌の音が聞こえる。店先には習作なのだろうか、何本かの剣が無造作に樽に立ててある。

「ここは武器を扱ってるみたいだね」

「そうですね。その樽の剣、無造作に置いてる割に鑑定結果は上品質です。たのもー」

茜が元気よく突撃すると、奥から親方らしい背が低く、手足が妙に太い初老の男性が現れた。

「なんだ、お前らは。ここは子供の遊び場じゃないぞ」

「これでもお客ですよ。剣を打てる腕のいい鍛冶屋を探してます」

「なら俺だな。どんなのが欲しいんだ？　いまなら材料があるから魔剣でも打てるぞ」

「本当ですか？　魔剣の材料って見せてもらうことできますか？」

「ん？　ああ、魔銀か？　未加工の聖銀のインゴットならこれだ。ほれ」

見本用なのだろう。掌サイズのインゴットを前かけのポケットから取り出す親方。

見た目は輝きの鈍い銀だ。

魔素を感知できるフェルがいればまた違った感想もあっただろうが、美咲と茜には、白っぽいアルミの塊に見えた。

「これで魔剣を作るんですねー」

「まあ、正確には、これを材料にして魔銀ってぇのを作って、それを材料にするんだがな。魔銀と鉄を合わせた魔鉄の剣も作れるが、魔剣ほどは魔物には効かねぇ。それで、どうするんだ？　本気で魔剣を作るのか？　高いぞ？」

「いくらくらいですか？」

「魔剣の注文品なら、一本、金貨百枚ってところだな。大きさや形でも違ってくるが」

「……えーと、百万ラタグですね。それならお願いします」

「おいおい、本当に払えるのかよ？」

日本円に換算すればほぼ一千万円である。

普通であれば茜のような子供がおいそれと払える額ではない。

「はい。ちょっと待っててくださいね」

茜はアイテムボックスから金貨の入った袋を取り出し、袋の中身を見せた。

「……ほう、確かに金貨だ。わかった。それでどんな剣が欲しいんだ？」

茜は日本刀の説明をするが、親方は首を捻るばかりである。

「こーゆー形の剣なんですけど」

「サーベルか？　それなら打てるが、さっきの説明とは打ち方は違うぞ？」

「んー、それじゃ作りはサーベルで反りはこれくらいで柄は両手でも持てるように……」

茜の説明を受け、親方は形状を決めていく。

柄の部分は茜が握れる程度の太さ。両手持ちなので、刃の長さは成人男性が使う片手持ちサーベルと同程度。最終的に、日本刀に似た形状の両手持ちのサーベルを魔剣として作ることになった。

「茜ちゃん、魔剣なんてどうするの？」

「おにーさんに自慢するんです」

「……それだけのために百万ラタグ？　お金は大事にしたほうがいいよ」

「アルにレンタルすれば少しは回収できますよ」

「それで、そっちのお嬢さんはどうするんだい？」

「あー、それじゃ、ちょっと見てもらいたいものがあるんですけど」

美咲は包丁を呼び出し、親方に渡した。

「これと同じような材質で、片手剣、作れますか？」

「これは……鉄……だよな。少しばかり混ぜもんがあるようだが、しなりもあるいい包丁だ」

「これ、錆びない鉄なんですよ」

「おいおい、錆びない鉄なんてないぞ?」

「……ですよねー」

どうやらステンレスはまだ存在しないようだ。

美咲はステンレス製の片手剣製造を諦めることにした。


茜の剣の発注を終えた美咲たちは傭兵組合の扉を叩いた。

「鉱山での魔物駆除の依頼は……ありませんねー」

掲示板の依頼票を眺め、茜は肩を落とす。

鉱山に入れるような魔物駆除依頼がないかと期待していたらしい。

鉱山は国が運営しており、許可を得た者しか立ち入ることができないのだ。茜は依頼で入るなら許可が出るだろうと考えていたようだが、国が運営する場所だけあって、キナムの町には対魔物部隊の一中隊が常駐しており、鉱山周辺の魔物を定期的に駆除しているため、傭兵の出番はほぼなかった。

「鉱山周辺の森で、動物の駆除依頼ならいくつかあるみたいだけどね」

「……ハチとか熊とかって日本でも普通にありそうな依頼ですよねー」

「駆除以外だと……護衛依頼だと町を離れることになっちゃうし……」

「どちらにしても面白そうな依頼はありませんねー」

「そうだね」

しばらくの間、依頼票を眺めていた美咲たちだったが、都合よく面白そうな依頼を見付けることができず、傭兵組合をあとにした。

次に向かったのは鉱山関連施設の入り口であるが、こちらには門番が立っており、関係者以外が入れないようになっている。

キナムの町は鉱山の町である。鉱山関連施設が関係者以外立ち入り禁止ということは、町のほぼ半分に立ち入れないということだ。

「本当にキナムって観光には向かない町ですねー」

「そうだね。もういっそ、明日にでも王都に戻っちゃおうか。アンナのことも気になるし」

「王都にですか?」

「ここからなら、王都まで半日。護衛依頼も結構あったからね。剣ができるまで宿で読書でもいいけど、旅先でそれも虚しいしね。サーベルができたらまた取りに来ようよ」

「あー、そうですね。また来るのも面倒ですから、サーベルは仕上がったら送ってもらうようにエイブラハムさんに依頼してみましょう」

サーベルが仕上がったら王都に送ってほしいと告げると、エイブラハムは唖然とし、「お前、正気か」と言わんばかりの表情を見せた。

「お前、正気か?」

そして口にも出した。それほど、茜の言葉に衝撃を受けたらしい。

「正気ですけど？」

「金貨百枚もの魔剣を送るだと？　直接受け取りに来て品質を確認し、必要なら調整までするのが普通だぞ？」

「そこは信じてますので」

茜には魔剣を武器として使うつもりがない。そのため、品質さえ担保されていれば、武器としてのバランスに気を配る必要はないのだ。

自慢するためだけに高価な魔剣を注文する人間がいるというのは親方も予想していなかった。

「むう……だが、送るにしても信頼できる者に頼まねば……盗まれたらどうするつもりだ」

「商業組合に依頼してください。リバーシ屋敷の茜に送るとなれば、商業組合もそれなりに真剣に対応するでしょうから」

「……お前さん、何者だ？」

「あー、まあ商売でちょっと小金を貯め込んだ成金ですよ」

「ああ、そうかい。まあ、お前さんがそれでいいって言うならそうするがな」

「よろしくです」


エイブラハムの鍛冶屋を辞去した美咲たちは再び傭兵組合にやってきていた。

今回は王都までの護衛依頼を探すのが目的だ。

「青でもできる護衛依頼……結構ありますね」

「王都とキナムの間なら、ほとんど魔物は出ないだろうから、護衛自体いらなそうだよね」

「あー、念入りに魔物駆除されてそうですもんねー」

出るとしてもせいぜい単体《はぐれ》で、青の傭兵でも十分に護衛の役割を果たすことができるのだ。

美咲たちは、翌日の王都までのキャラバンの護衛依頼を受け、宿に戻った。


鉄床亭の夕食はイワナに似た川魚と野菜の煮込み料理だった。

「コティアのほうと比べると、随分と薄味ですねー」

「このあたりじゃ塩は貴重品だから仕方ないよ。それにほら、野菜の旨みが出てて美味しいよ」

丁寧に味が調えられており、美咲には美味しく感じられるのだが、茜には物足りなかったようだ。

見かねて美咲が塩を取り出して渡すと、茜は自分の料理に振りかけ、美味しそうに食べはじめた。

「ありがとうございます。マナー違反だと思うんですけど、美味しく食べたいですからねー」

「うん。ちなみにそれはコティアで買ってきた塩だよ」

「日本のお塩よりも美味しく感じますね」

「ミネラルとかが豊富なのかもね」

翌早朝、美咲たちは南門の前で、今回の依頼人であるジェリーという丸顔の商人と合流した。

最初のうちは子供にしか見えない美咲と茜の姿に不安そうなジェリーだったが、茜の、

「これでも美咲先輩は〝青いズボンの魔素使い〟、私は〝蒼炎使い〟って通り名を持ってるんですよ」

という言葉と、美咲の緑色の傭兵のペンダントを見て安心したようだった。

「通り名持ちとはおみそれしました。護衛、よろしくお願いします」

「いえ、こちらこそ」

美咲たちが二台目の馬車に乗り込むと、キャラバンはすぐに出発した。馬車は全部で十台を超える大所帯で、美咲たちのほかに、一番後ろの馬車にも傭兵がふたり乗っている。

黒の山脈から王都への道のりは基本的に緩やかな下り坂だ。しばらくは山道が続くが、街道はしっかりと整備されており、クロネ周辺のように道が悪いということもない。

やがて、馬車は山道を抜けて平地に出る。

遮るものがほとんどないため、遥か遠くに王都が見えている。

「ミサキさん、もう警戒はいいですよ。ここから先は魔物は出ません」

ジェリーからそんな声がかかった。

「そうなんですか？」

「まだ距離はありますが、もう王都が見えてますからね。こんなところで魔物が出たら、対魔物部隊の怠慢ですよ」

「わかりました。少しのんびりしてますね」

「……美咲先輩、帰ってきましたねー」

遠くに見える王都を眺めながら、茜が感慨深そうにそう言うと、美咲は小さく頷く。

「そうだね。思ってたより早く帰ってこれたね」

四章　帰還

王都の門をくぐり、依頼票にサインをしてもらったふたりは傭兵組合に足を運んだ。

傭兵組合で依頼票を提出すると、美咲の名前を確認した受付の男性が、美咲宛てに手紙が届いていると、丸めた羊皮紙を手渡してきた。

「なんだろ？　ゴードンさん？　ミストの町の傭兵組合長からって、なにかまずいことでもあったのかな？」

一番まずい事態は、美咲のレールガンの情報がほかの町や国に漏洩《ろうえい》することである。

王家にでも知られたら身柄を拘束されかねない。

まさか、バレたから逃げろって指示かな、と、美咲は首を傾げつつも羊皮紙を留めている封蝋《ふうろう》を外し、内容を確認する。

「えーと……ああ、なるほど」

手紙の内容は、飛竜駆除の件はインフェルノとアブソリュート・ゼロによるものということで、なんの疑義もなく決着したのでいつでも戻ってこい、というものだった。

茜にも手紙を見せると、茜はホッとしたように頬を緩ませた。

「よかったですね、美咲先輩」

「そうだね。まあ茜ちゃんが発注したサーベルが到着するまでは王都暮らしを続けないとだけどね」

「あー、そういえばそうでした」

「忘れないでよね。金貨百枚なんだから」


傭兵組合を出てリバーシ屋敷に到着した美咲たちを、庭の点検を行っていたセバスが出迎えた。

「お帰りなさいませ、アカネ様、ミサキ様」

「ただいま、セバス。しばらくこちらに滞在します。留守中に変わったことはなかった？」

「特にございません」

「ありがと。長旅で疲れたからお風呂の準備、よろしくね。美咲先輩、お風呂、準備ができたら一緒に入りましょー」

「いいけど、なんで？」

「背中の流しっこしましょう」

うちのお風呂は広いから一緒に入れるんです。と、なぜか嬉しそうな茜だった。


美咲と茜が風呂から上がると、リビングのソファで小川が紅茶を飲みながらなにやら紙の束を読んでいた。

「おや、美咲ちゃん、茜ちゃん、久しぶりだね」

「あ、小川さん、今日はお休みですか？」

「いや、在宅勤務だよ。ちょっと面倒なフェーズに入ったんでね」

「おじさん、アンナさんはどうしたんですか？」

「部屋にいるよ。回復魔法の勉強中だね。それで僕はいままでの座学の内容を本にまとめているところ」

これ、と小川は右手に持った紙の束を見せた。

美咲は軽くそれに目を通す。内容は魔法の三原則と怪我が回復する仕組みについてを簡単にまとめたものだった。

「アンナが回復魔法を使えるようになれば、これが教科書になるんですね？」

「そういうこと。口頭での補足が多かったから、もう少し詳細に書かないと駄目かな、って見直してたんだ」

治癒の過程を科学の知識がない者に説明しなければならないのだ。

どうしても話は基本的なところから始めなければならない。

顕微鏡もなしにそれを行うのは、小川にしても困難なものだった。

「アンナ君は僕の言うことを素直に信じてくれたから楽だったけど、細胞の存在を信じられないって人に説明する文章を書こうとするとどうしても難しくてね……美咲ちゃん、顕微鏡って出せないかな」

「無理です。買ったことないです」

「んー……それじゃ……あ、教科書って出せる？」

「……えーと、高校のなら自分で買いに行きましたから出せると思いますけど」

「理科系のをお願い」

「はい」

美咲が呼び出そうとすると、ほかの教科も含めた教科書一式がまとめて出てきた。

「あ、教科書ってまとめて買ったから単体では呼べないみたいですね」

「いや、助かるよ。考えてみたら保健とかもあったほうがいいだろうしね。ありがとう」

「そうですか？　あ、茜ちゃん、数学と歴史の教科書とかいる？」

「い、いりませんよ。私はまだ中学生なんで！」

思いっきり首を横に振って嫌がる茜。

「そんなに嫌がらなくても……」

「いきなり高校の教科書なんてハードル高すぎます！」

「まあ、それもそっか……あ、小川さん、今日、広瀬さんって帰ってきますか？」

「うん。特にどこかに遠征に行くみたいな話は聞いてないよ」

「それじゃ、広瀬さんが帰ってきたらおふたりにお土産渡しますね。お酒とかありますよ」

お酒の肴になりそうな料理もいくつか呼び出せます、と美咲が言うと、小川は破顔した。

「おー、それは嬉しいね。楽しみにしてるよ」


夕食はいつものメンバーにアンナを加えた食卓となった。

「アンナ、元気だった？」

回復魔法の勉強を中断して食事に下りてきたアンナに美咲が声をかけると、アンナは初めて美咲と茜に気付いたような顔で瞬きをする。

「……元気。ミサキたちも元気そうね」

「お陰さまでね。アンナは回復魔法の勉強、順調？」

「いまのところは順調……だと思う。細胞とかの概念が難しいけど」

アンナは眉根を寄せる。人体が細胞でできていて、治癒は細胞レベルで傷を負った組織が修復するのだという知識は素直に受け入れたが、魔法にできるレベルでは理解できていないのだと言う。

「頑張ってね。あ、あとでお土産あげるね」

「うん。ありがと」

夕食は久しぶりの和風テイスト。

お米のご飯に肉と野菜のスープ、川魚の煮付け。デザートにプリン。

「久しぶりに食べると和食もいいね」

「美咲はせいぜい二週間だろ？　俺は美咲が来るまで三年も米が食えなかったんだぜ」

広瀬はそう言いながら魚の骨を器用に外していく。鯉に似た魚は少し泥臭さがあるが、ロバートの手により、風味といえるレベルまで押さえ込まれている。

「初めて会ったときは米を食わせてくれって言ってくる変な人だと思いましたよ」

「おにーさんはいまでも変な人ですけどねー」

「茜はあとで梅干しの刑な」

「うあー、暴力反対」

賑やかな食事を終え、まずアンナにお土産を渡す。

「貝殻で作ったブローチだよ」

「……ありがとう。大事にする」

美咲の呼び出しはアンナには秘密なので、小川たちには酒の類いと干物だけを渡す。

そうでなければ串焼き貝なども出せるのだが、アンナの前で、焼き立ての串焼き貝を出すのは異常すぎる。

とはいえ、酒の類いだけといってもかなりの量を買い込んでいるので十分に喜ばれ、酒宴が開始された。

茜は使用人向けに買った置物やアクセサリーが入った袋をセバスに渡している。

「あ、セバスさん、これもお願いします。ロバートさんに」

各種干物をテーブルの上に出してセバスにお願いすると、セバスはそれらを持って奥に戻った。

酒宴から逃げるように自室に戻った美咲が、ベッドに転がっているとノックの音が響いた。

起き上がり、

「どうぞ」

と言うと、扉を開けてアンナが入ってくる。

「ミサキ、教えてほしいことがある」

「えーと、なに？」

「生き物が細胞からできているというのはオガワ先生に習った。細胞が細胞分裂で増えるということも習った。そういう仕組みなら、どうして生き物には寿命があるの？」

細胞分裂で怪我が治癒するのなら、生き物は無限に生きていられるのではないか、という疑問に自力で辿り着いたアンナの問いに、美咲はどう答えたものか逡巡した。

「えーと、テロメアのことかな。老化のことかな……ごめん、それは小川さんに聞いたほうがいいと思う。教科書にも関係しそうだしね」

「……わかった。ミサキは答えを知っているの？」

「うーん。私が知ってるのは答えの入り口くらいかな」

アンナは右手を顎に当てて考え込んだ。

そして、

「怖くならないの？」

と美咲に尋ねた。

「寿命があるのは仕方ないことだって思ってるよ。誰だって無限に生きられるわけじゃないし」

「……それはわかっていたけど、理論立てて、寿命を突き付けられるのはちょっと怖い」

まるで寿命が計算でわかるかのようなアンナの言葉に、美咲はアンナがなにを恐れているのかを理解した。

「科学はただ寿命があるってことを、んー……証明するだけだよ」

「自分の寿命がわかるわけじゃないの？」

アンナは驚いたように目を瞬かせる。

「うん。科学はそこまで万能じゃないよ。ただ寿命の仕組みがなんとなくわかるだけ。寿命は神様が決めるものだと思っていいよ」

「そう……ちょっと安心した」

「でも回復魔法に関係しそうだから、ちゃんと小川さんに聞いてね」

「わかった。オガワ先生にも聞く」


アンナが退出したあと、美咲はテロメアからの連想で、不死人たちが地球から脱出するＳＦを呼び出して読みはじめた。

すると再びドアをノックする音が響いた。

「はい、どなた」

小説が佳境に差しかかっていたため、美咲はベッドに転がったままそう尋ねた。

「茜です。美咲先輩」

「茜ちゃん？　どうぞ」

読んでいたページに栞を挟むと、美咲はベッドの上で体を起こした。

「失礼します。あ、読書中でしたか」

「うん、さっきちょっとアンナと話してたらなんとなくね……それでどうしたの？」

「んーと、ここしばらく、ずっとツインルームだったじゃないですか」

「あー、わかった。ひとりで寂しくなったんだね」

「まあ……はい、そうです」

恥ずかしそうに茜は俯いた。

「ベッド大きいし、今日は一緒に寝ようか？」

「そこまで子供じゃないですよー。ちょっと話し相手になってくれれば」

「いいよ、それじゃお菓子とか呼ぶよ。リクエストある？」

「甘いスナック菓子と、タケノコの村お願いします。あとコーラのゼロ」

「了解」

美咲はベッドの上にお菓子を呼び出した。

茜はそれを器用にキャッチして開封していく。

「こういうの、久しぶりですねー」

「こういうの？　女子会みたいの？」

「ですです。うちだとお姉ちゃんがたまにお菓子買ってきて、一緒に食べてました」

「いいなぁ。うちなんか、兄だからそういうのなかったよ」

「おにーちゃんにもちょっと憧れますけどねー」

そうして美咲と茜の女子会は、この世界基準で深夜まで繰り広げられるのだった。

翌日。

美咲と茜は小川に依頼され、国立図書館へと足を運んでいた。

国立図書館は王都の貴族街区にあるため、小川が紹介状を書き、内壁の門でチェックを受けて貴族街区に入る。

「貴族街に入るのは登城して以来ですね」

「そうだね。アルさんは元気かな？」

「王族ですから、元気がなくなったら大騒ぎですよ」

そんな話をしながらのんびりと図書館へと向かう。

小川からの依頼は科学的な文献の調査だった。

この調査は科学的な基礎知識がないとできない作業なので、日本人以外に頼むということはできない。

小川自身は魔法協会の各種文献を調査しつつアンナに教育を施しているが、国立図書館までは手が回っていない。そこで、帰ってきて時間を持て余していた美咲たちに白羽の矢が立ったのだ。

中学生レベルで構わないので、ある程度正しい医学の知識が記された文献がないか探してほしいというリクエストを、美咲は二つ返事で引き受けた。

もともと美咲もこの世界の書物に興味があったのだ。国立図書館が存在することを知っていれば、自分から小川に頼んで紹介状を書いてもらったかもしれない。

この世界にＳＦがあるとは思えないが、冒険小説の類いであれば存在するかもしれないという期待が美咲にはあった。

買ったことのない本を呼び出せない美咲は、新しい小説に飢えていたのだ。

「図書館って……ここかな？」

大きな石造りの建物の手前には、エトワクタル国立図書館と刻み込まれた石柱が建てられていた。

門には剣を佩《は》いた兵がふたり立っている。

「みたいですね。随分と立派な建物ですねー。それに警戒厳重です」

「この世界だと本は貴重品だろうからね」

門番に小川からの紹介状を見せて入館を許可される。

建物に入るなり司書が近付いてくる。

「どのようなご用件でしょうか」

ここでも小川からの紹介状を見せるが、それだけでは司書は道を譲らなかった。

「医学に関する本を探しに来たんです」

「医学ですか。内科、外科、その他とありますが」

「怪我が治る仕組みや、体が成長する理由について記された本を探しています」

「なるほど、それでしたらございます。館内では一切の魔法の使用は禁じられています。また火気厳禁となっています。飲食も禁止です。入館費用はひとり二百ラタグです」

どうやら探している本があるかを判断してから入館費用を徴収するシステムらしい。

美咲がまとめて四百ラタグを支払い、ふたりは入館した。

「こちらです」

司書に先導され、ふたりは該当の書籍が収蔵された本棚へ辿り着いた。

本棚の数は多く、自力で該当する分野の本を探そうとしていたら日が暮れていただろう。

案内された本棚には大きく重そうな本が鎖で繋がれて保存されていた。

鎖は十分な長さがあり、読書をするには支障がなさそうだ。

「ここから、ここまでが仰られる内容の本となります」

司書が本の位置まで教えてくれる。

それを確認し、美咲は礼を述べ、本を取り出した。

「……重い……茜ちゃんは反対側から確認よろしくね」

「はーい……本当に重いですねー」

本を机まで運んでベルトを外すと、羊皮紙が膨らんでいたのか、表紙がふわりと浮く。

それからしばらくは、ページをめくる音だけが館内に響いた。

「……これはどうなんでしょう？　生物には特徴を決定する因子があり、両親や祖先からその因子を受け継ぐ……ＤＮＡっぽいと言えば、ぽいんですけど」

「いちおう著者と書籍名、要点をメモしておいて」

「はーい」

この調査の目的は、小川の作っている教科書の箔付けにあった。

現代の科学知識をもとに教科書を作っても、この世界ではなんの裏付けもない空論に過ぎない。

回復魔法の存在だけが、小川の論が拠って立つ証拠である。

そこで小川が考えたのが、過去の書籍から都合のよい部分を抜粋し、教科書の文章の出典を増やすという方法だった。

出典が国立図書館所蔵の書籍であれば、十分な箔付けとなる。

「生物には負った傷をある程度復元する能力がある。なんてのもありますねー」

「見せて……うん、ここまでの文章は使えそうだね。後半の女神様云々はちょっとアレだけど。茜ちゃん、見付けるの早いね」

「えへへ、探し物には自信があるんですよ」

その日は医学に関する本を探して読むだけで終わってしまった。調査資料をまとめた美咲たちは、小川のもとへと向かうのだった。


「うん、ありがとう。これは予想以上の成果だよ」

帰宅後、資料を小川に渡したところ、小川は満足そうにそう言った。

「教科書の箔付けになりますか?」

「そうだね、結構な有名な人が書いた本もあるし、これなら教科書の信用度も上がると思う。助かったよ」

小川は資料に目を通し、ホッと息を吐いた。

「おじさん、アンナさんのあとで、私たちにも回復魔法を教えてくださいねー」

「いいけど？　なんであとでなんだい？」

「駄目ですよ、小川さん。アンナと私たちでは基礎知識に絶対的な差がありますから、私たちが途中でアンナを追い抜く形になるのは避けないと」

「ああ、なるほどね。うん、それは確かに気を付けないといけないね。ありがと」

資料から目を上げ、小川は頷いた。

「美咲先輩がいれば、ポーションを呼んでもらえますから、私が覚える必要はないかもですが」

「そうだね。ポーションと回復の魔道具、茜ちゃんにも渡しておこうか？」

美咲がそう尋ねると、茜は頷いた。

「あ、それじゃ、魔道具ください。ポーションは使ったあとの申し開きが大変そうなので」

「なるほど。はい、魔道具」

美咲は回復の魔道具を呼び出して茜に手渡す。

「ありがとうございます。黄色い側を傷口に向けるんでしたっけ？」

「そうだよ。輪っかの中に傷口が収まるようにしてね」

「あ、美咲ちゃん。僕にもひとつもらえないかな？　アンナ君に参考資料としてひとつあげたくてね」

「いいですよ……はい、どうぞ……そうそう、お酒も追加しておきますね」

「お、ありがたい。今晩飲ませてもらうよ」

　夕食後の酒宴は、小川、広瀬にアンナを加えて開かれた。酒の肴としてコティアで買ってきた干物などが並んでおり、あまり海産物に馴染みのないアンナは物珍しげに干物を囓りながら杯を傾けている。そのアンナの視線が、コップにジュースを注ぐ美咲に向いた。

「ミサキは飲まないの？　……成人してるって聞いたけど」

「日本ではお酒は二十歳にならないと飲んじゃいけないって法律があるんだ」

「……ここはニホンじゃない。論理的じゃないように思う」

「まあ、結婚は十六歳からできるんだけどね……そこ、茜ちゃん、飲もうとしない！」

　自分のコップにお酒を注ごうとしていた茜を止める美咲。

「えー、いいじゃないですか。これ、レモンの匂いがして美味しそうなんですよー」

「お酒は過ぎると成長に悪影響があるって言うよ」

「茜、お前に酒はまだ早いぞ」

　広瀬にも止められ、茜はふくれっ面でコーラに手を出す。

「わかりました、炭酸にしときますー」

「……ミサキ、お酒は成長に悪影響があるの？」

　アンナは、比較的慎ましやかな自分の胸に手を当てて美咲にそう尋ねた。

「……血行がよくなるから、そこの成長にはむしろいいかもね。脳と骨の発達に悪影響があるって言われてたかな？」

「脳……頭……魔法にも悪い？」

「アンナ君、すべては量だよ。お酒は量を過ぎれば毒になるし、適量なら薬になるんだ。君の年代なら、ほろ酔いまでで止めておくことをお勧めするね」

「はい、オガワ先生」

そうして酒宴は続いていくのだった。


翌日は朝から雨だった。

美咲と茜は、美咲の部屋でふたりで過ごしていた。

「旅行中は天気に恵まれて助かりましたねー」

「そうだね。でも、今日はどうしようか？」

風邪でもひこうものなら命に関わる場合すらある世界である。

一部の職業を除き、雨天は休養日として外出しないのがこの世界の常識なのだ。

「また読書ですかね。漫画とか呼べますか？」

「漫画？　呼べないこともないけど、ハードＳＦ寄りになっちゃうよ」

ビニールに包まれた本を呼び出す美咲。

四冊まとめてビニールに包まれたそれを美咲は茜に手渡す。

「古本屋で買った本だけど、大半がこんな感じかな。これは宇宙のゴミ処理屋さんの話、かな。確かアニメにもなったはずだよ」

「んー……ちょっと読んでみますね」

ビニールを破いて本を取り出し、読みはじめる茜。

思いのほか熱中しているようで、すぐに黙々とページを追いはじめた。

「それじゃ、私はこれでも読もうかな」

美咲は日本の民間企業が月面基地を作る小説を取り出して読みはじめた。

しばらくの間、美咲の部屋にはページをめくる音だけが響いた。

「……茜ちゃん」

「……なんですか？」

「明日晴れたら神殿行くけど一緒に行く？」

「なにしに行くんですか？」

「いつまで呼び出しを続けなきゃいけないのか神託をもらいに行こうと思って」

前にもらった神託から、美咲としてはそろそろ毎晩の呼び出しを終わりにしてもいい時期だと考えていた。

もらおうと思って神託をもらえるのかはわからないが、いままでの神託は神殿で得られたものだ。

行かないよりは行ったほうが確率が高いと踏んでいた。

「行きます。やることありませんし」

「ん。じゃあ、晴れたら」

「はーい」

結局その日は、魔道具の灯りの下、一日中室内で本を読み続けるふたりだった。

翌日、美咲は茜を伴って王都の神殿に赴いていた。

美咲は珍しくポニーテールを解いている。女神様の色でポニーテールにして神殿にいると目立つと学習したらしい。神殿には数人の信者がいたが、美咲たちはいつもよりあまり目立たずに本殿に入ることができていた。

美咲は春告の巫女の作法に則り、神殿の中の石碑を辿り、女神像の前で拝跪する。

(女神様、いつまで魔素の循環のための呼び出しを)

続ければいいのでしょうか、と祈ろうとすると、それに重なるように美咲の頭の中に声が響いた。

『――揺り返しも過ぎ、魔素の巡りは回復しました。これからは日常にお戻りなさい。ご苦労さまでした』

美咲は、神託を受けて思わず顔を上げるが、幸いにして美咲に注目している者はいなかった。

(お返事ありがとうございます)

それだけお祈りして、美咲は神殿をあとにした。

「美咲先輩、どうでしたか?」

本殿の前で茜と合流すると、茜が尋ねてくる。美咲は周囲を見回し、

「うん、神託はもらえたよ」

と小声で答えた。

「それで、どうなりました?」

「お役御免。日常生活を送ってって」

「……やっぱり日本には戻してはくれないんですねー」

「あー、うん、それは無理っぽいみたい」

復活祭のときにもそれは言われている。この先、この世界でなにをしていけばいいのかがわからなくなった美咲は、縋るような目で神殿を振り仰ぐのだった。

屋敷に戻った美咲は、小川に神託のことを告げ、居間でテーブルに突っ伏していた。

「ミサキ、どうしたの？」

心配そうに様子を見に来たアンナには、体調不良と嘘をつく。

神託や異世界のことは、とても信じてもらえるような話ではない。

「美咲先輩、なんであんなにショックを受けてるんでしょうか？」

「アイデンティティの喪失……かな。与えられた役目が終わって、その先を考えてなかったんだろうね。僕らと違って美咲ちゃんには、はっきりとした役目があったわけだからね」

小川の推測した通り、美咲は与えられた役目が終わったあとのことを考えていなかった。

そのため、その役目から解放され、なにをすべきなのかがわからなくなっていたのだ。

もともと、美咲はこの世界に埋没し、日本に戻る手がかりを探しながら生活するつもりだった。

そこに日本人が現れ、孤独ではないと知り、なんとか皆の役に立とうとしてきた。

その方法が、魔素の循環のための呼び出しだったのだ。

だが、もうそれは不要となった。

日常に戻れと言われても、なにをしたらいいのか美咲にはわからなかった。

「美咲ちゃん、食堂経営しながら、ミストの町を守るのが美咲ちゃんがいままでやってきていたことだよ」

「……小川さん」

「ミサキ食堂で町のみんなと過ごしながら、なにかあったらミストの町を守る。美咲ちゃんが自ら課したその役目がなくなったわけじゃないよ」

レールガンはなんのために開発した魔法だったか。

美咲は塀の上から眺めたミストの町の景色を思い出していた。

美咲にとって、ミストの町は、守りたい町だった。

それは、誰に言われたというわけでなく、美咲自身が望んだことだった。それだけで喪失感を埋められるものではなかったが、美咲が動き出すきっかけにはなった。

「ありがとうございます。小川さん。やりたいこと、思い出しました」

「ん。ほどほどに頑張ってね」


それから十日ほど経ち、商業組合から連絡を受けた茜は、美咲とともに商業組合まで足を運んだ。

組合には木箱が届けられていた。

個室に通され、その場で内容物の確認を、と言われ、蓋を開けた茜は目を見張った。

美しい鞘に収められた両手持ちも可能なサーベルが一振り、箱に入っていた。

鞘から僅かに抜いて刃を見ると、青黒い剣身《けんしん》がぬらりと光った。

「魔剣一振り。銘はなし。アカネ様への直接手渡しとのことでしたのでご足労願いました。ご確認いただけましたでしょうか？」

商業組合の男性がそう問いかける。

「うん、思ったよりも凄いのできちゃったな。ありがとう。問題ないです」

茜はサーベルを鞘に収め、受け取りにサインをすると、魔剣を右手に持って商業組合をあとにした。

「馬車で来ればよかったかな。重いでしょ」

「アイテムボックスにしまうから大丈夫ですよ」

「そっか、それが一番安全だね」

「はい。それにしても、やっぱり凄いですね職人って。とても気に入りました」

「いいものになってよかったね」

「はい！」

嬉しそうな笑顔で茜は頷いた。

屋敷に戻った茜は、セバスにサーベルを飾る台を工房に依頼するように命じた。

それを聞き、美咲は首を傾げた。

「王都に飾っておくんだ？」

「はい。あと、必要ならおにーさんに貸し出します」

「広瀬さんなら使いこなしてくれるだろうね。剣の才能って能力があるんだっけ？」

「そーですよ。せっかくの能力なんだから見合った剣を使わないと勿体ないですしね」

「実際のところ、広瀬さんとはどうなの？」

内緒話をするように、小さな声で美咲が尋ねると、茜は目を瞬かせた。

「なにがですか？」

なにを言われているのかまったくわからないという表情の茜に、これは違うのかな、と思いつつも美咲は尋ねてみた。

「その、好きとか嫌いとか」

「……ないですねー。お友達枠です」

「そっかー」

「そういう美咲先輩はどうなんです？　恋バナ、なんかあります？」

「そういう余裕はないかな」

「ですよねー」

「それはさておき、小川さんに質問があったんだっけ」

「恋バナですか？」

「ないねー」

美咲と茜はきゃらきゃらと笑った。

茜と別れた美咲は、その足で小川の部屋を訪ねた。

「おや、どうしたの？」

「ちょっと質問があるんですけど、いま、大丈夫ですか？」

「いいよ。どんな質問かな？」

「魔素についてです。魔法を使うときって、魔素を魔力に変換して魔力を消費しますよね？」

「うん。そうだね」

「それじゃ、いつか魔素はなくなってしまうんでしょうか？　それともどこからか供給されてるんでしょうか？」

小川は天井を見上げ、指先で顎をなぞる。

そして、本棚から一冊の本を取り出して美咲に手渡した。

「この前、魔法協会の図書館で見付けて借りてる本なんだ。その本にいちおうの解釈はある。この世界に迷宮があるっていうのは知っているね？」

「はい」

「その本には魔素は迷宮から供給されていると記されている。魔素は迷宮から生まれ、海に溶け込み消えていくという仮説なんだけどね」

「それが魔素の循環ですか？」

「多分ね。それで、海の浄化能力を超えて、魔素があふれた状態がこの前までの世界じゃないかと、僕は考えているんだ」

そして、その事態は収束した。

あふれた魔素の影響で、増殖した魔物は倒された。

崩れていたバランスはもとに戻った。

これから必要になるのは恒常的な魔素消費量の押し上げだ。

それはたとえば魔道具であったり、回復魔法の実用化で為されるのかもしれない。

「美咲ちゃんも、普通の魔法の開発はしてもいいと思うんだよね。レールガンは行き過ぎだったけど、魔素の消費量が多くて、便利な魔法だったら世界のバランスを維持するために使えると思うし
……どこまでが女神様の思惑なのかはわからないけどね」


「おにーさん、見てください！」

帰ってきた広瀬を捕まえ、茜はアイテムボックスから取り出した魔剣を見せた。

「本当に見せびらかすんだ……」

美咲は少し呆れぎみである。

「なんだ？　サーベルか？　にしては柄が長いな？」

「両手で握れるようにしたサーベルです。魔剣ですよ、魔剣！」

「魔剣だ？」

「ほらほら」

柄を握り、僅かに剣を引き抜き、剣身を広瀬に見せる茜。

青黒い剣身を見て広瀬の目の色が変わった。

「ちょ、お前その色は……ちょっと見せてもらってもいいか？」

「はい、どうぞ」

茜はサーベルを鞘に戻して鞘ごと広瀬に手渡した。

広瀬はその場でサーベルを抜き、じっくりと剣身を確かめた。

鞘をベルトに挟み、両手で柄を握る。

「……いい剣だ。魔剣としてもかなりの上物だな……茜、これ、どうしたんだ？」

「キナムの町でエイブラハムって鍛冶屋さんに打ってもらいました」

「おいおい、マジかよ。本物の武器職人じゃないか」

「有名なんですか？」

「知らないで打ってもらったのか。対魔物部隊の剣の半分は、あのおっさんの作だぞ。腕は確かだが値が張るので有名……って、茜、いくら使ったんだ？」

「まあ、それは内緒ってことで」

「美咲、いくらだ？」

広瀬に聞かれ、美咲はそっと視線を逸らした。

「知らないほうが幸せってこともありますよ？」

広瀬はサーベルを鞘に戻し、茜に返す。

「随分と金のかかる趣味に手を出したな」

「これ一本だけですよ。必要ならおにーさんに貸し出しますよ」

「これだけの品、そうそう借りられるかよ」

「まあ、この屋敷に飾っておくつもりですから、必要なら遠慮せずに使ってくださいね」

リビングの壁に飾っておきましょう、と茜は楽しそうに笑った。


王都で魔剣を受け取るという用件は片付いた。

夕食後のお茶を飲みながら、美咲はこのあと、なにをしたらいいのかと考えを巡らせていた。女神様の神託は片付いた。サーベルは受け取ったので、王都での用事は済んだ。ゴードンからは戻ってきても問題ないという手紙を受け取っている。そして、美咲にとってこの世界での居場所はミストの町だった。

「……茜ちゃんはいつまで王都にいる?」

言外にそろそろミストの町に帰らないかと茜に問いかけると、茜は数回瞬きをしてから美咲の言葉の意味を理解したように頷いた。

「サーベルは届きましたからね、もう王都に用事はありません。美咲先輩がミストの町に戻るなら一緒に戻りますよ」

「んー、それじゃ、明日、傭兵組合で依頼を探してみようか?」

話を聞いていたアンナが首を傾げた。

「……ふたりとも、ミストの町に戻るの？」

「んー、もう王都に留まる理由もなくなったしね」

「……そう。寂しくなる」

「また会えるよ」


翌日は雨が降っていたが、美咲たちはマントを羽織って傭兵組合を訪ねていた。

この世界の仕事は雨天休業になりがちだが、傭兵組合はそんななかでも数少ない、雨天でもしっかりと営業をしている職業だった。

だからといって、体が資本な傭兵たちが雨の日に好き好んで出歩くことは稀である。ガラガラの傭兵組合で、美咲たちは掲示板を見て、青でも受けられそうなミストの町までの護衛依頼を探した。

「茜ちゃん、よさそうな依頼あった？」

「いくつかありますけど、日の出前に出発するのばかりですね」

「ミストの町まで歩くのでなければ、この際なんでもいいよ」

王都と、王都周辺の町の間には大量の荷馬車が往き来している。

王都には王都の人口を支えられるだけの耕作地帯がないため、毎日のように肉や野菜が運び込まれ、王都からはさまざまな加工品などが送り出される。

だからその経路では護衛依頼が絶えることはない。

美咲たちは翌早朝出発というキャラバンの護衛依頼を受けることにした。

リバーシ屋敷では小川とアンナが回復魔法の練習をしていた。

練習といっても、アンナの場合はまだ回復魔法のイメージを把握している最中なので、指先を針で刺しては女神の口付けで怪我が治るのを観察するという痛いものであるが。

そんなアンナを労うため、その日の午後のお茶のデザートはロバートに頼んで美咲が作らせてもらった。

メニューはプリンアラモードである。

広めの銀の器にアイスと生クリーム、缶詰の果物を配置し、中央にプリンを載せる。

プリンも生クリームで飾り付け、サクランボに似た果物を載せて完成である。

広瀬は仕事で留守なので、小川、美咲、茜、アンナの分に加え、美咲の横で目を皿のようにしてプリンアラモードの作り方を見ていたロバートの分、計五人分を作る。

「これはプリンと……なに？」

アンナは、缶詰の果物と生クリームの甘い香りに目を細めながら、初めて見るプリンアラモードを見詰めていた。

「プリン、生クリーム、アイス、果物のシロップ漬け。名前はプリンアラモード。いま、私が作れる一番のスイーツだよ……食べてみて」

アンナは銀のスプーンでアイスをつつき、生クリームのかかったプリンを一掬い、口に運ぶ。

アンナの表情が笑顔になった。

「……美味しい」

「フェルも一度しか食べたことがないスイーツなんだ。次に会ったときにまた作ってあげるから、魔法の練習頑張ってね」

「……うん、楽しみにしてる。ミサキたちも元気でね」


王都の朝は日の出前から人々が動き出す。

日の出前の空が白んだ時間さえ惜しむように人々は仕事に精を出す。

商人もその例外ではなく、となればその護衛も同様に早くから動き出すことになる。

「朝はちょっと肌寒いですねー」

もうすぐ初夏に差しかかるというのに、日の出前はまだ少し寒く、茜は自分の腕を擦るようにした。

「そだね。あ、いたいた。おはようございます。護衛の依頼を受けた美咲と茜です。エドガーさんですか？」

「おう、俺がエドガーだ……お嬢さん、ちっさいのに緑か。大したもんだ。よろしく頼むわ」

ドワーフだろう。

背が低く、手足が妙に太い男がそう答えた。

「はい。どの荷馬車に乗ればいいですか？」

「前から二台目だ。もう準備はいいのかい？」

「問題ありません。それじゃ乗ってますね」

「おう、門が開いたら出発だ」

美咲たちが荷馬車に乗り込むと、すぐにキャラバンは動き出した。

門の前の馬車の列に並んで待つと、日の出を待って門が開かれる。

次々に馬車が門をくぐり、それぞれの目的地に向かってゆっくりと動き出す。

「ようやく旅の終わりが見えてきましたねー」

「ミストの町の門をくぐるまでは油断しちゃ駄目だからね。いまの私たちは護衛なんだから」

「わかってます。家に帰るまでが遠足ですからねー」

王都周辺は比較的安全だが、白の樹海にほど近いミストの町付近では魔物が出没することもある。

道は小さな丘を避けるため曲がりくねっていて、見通せる距離も短い。

護衛としては気が抜けないエリアなのだ。

とはいえ、このあたりで出るとすれば地竜か白狼。どちらが来ても美咲たちの敵ではない。

途中、丘の上に白狼の姿が目撃されたが、茜の炎槍を受けて逃げ出していった。

数度の休憩を挟み、一行はミストの町に到着する。

農耕地帯を囲む用水路の橋を渡り、農耕地帯を通過し、北門をくぐったところで美咲は大きく溜息をついた。

「はー、帰ってきたね」

「違いますよ。それを言うなら『ミストよ、私は帰ってきた』です」

「あー、古いアニメだっけ?」

以前にも茜がそんなことを言っていたことを思い出し、美咲が尋ねると、

「まあ、私も元ネタ知ってるわけじゃないんですけどね」

と、茜は肩を竦めた。

馬車は町の中をゆっくりと進み、商業組合の前で停車した。

「到着だね」

「何事もなくてよかったですねー」

馬車から降り、依頼票にエドガーのサインをもらうと、美咲たちはその足で傭兵組合に向かった。


夕方という時間帯のためか、傭兵組合は若干混雑していた。

「ここも久しぶりですねー」

どこか以前と変わったところはないかと見回す茜だが、取り立てて違いを見付けられずに依頼票を眺めはじめる。

美咲は総合窓口にシェリーがいるのを見付けてそばに寄っていく。

「シェリーさん、組合長いますか?」

「ミサキさん、戻られたんですね。組合長ですね。少々お待ちください」

シェリーは奥に下がると、すぐにゴードンを連れて戻ってきた。

「ミサキさん、お待たせしました」

「いえいえ、わざわざすみません。組合長、とりあえず戻ってきました」

「おう。長いこと悪かったな」

ゴードンは人差し指で頬を掻きながら謝った。

「いえ、旅を楽しんでましたよ。海まで行ってきました」

「海ってことはコティアのほうか？」

この世界では物見遊山の旅をする者は滅多にいない。行商人にでもならない限り、町に住む者はその町から離れることすら稀なのだ。

ゴードンは呆れたような目で美咲たちを見た。

「ええ、それでお土産にお酒を買ってきたので渡そうと思いまして。あ、シェリーさんにはブローチがありますよ」

「ほう。それはありがたい」

「私までいいんですか？」

「シェリーさんにもいろいろお世話になってますから」

美咲は収納魔法から酒と、貝殻で作られたブローチを取り出し、ふたりに手渡した。

「あ、あと、これもお願いします」

エドガーのサインが入ったふたり分の依頼票をシェリーに渡す。

シェリーはそれを確認し、銀貨を八枚、トレイに入れて差し出してきた。

「はい……えーと、問題ありません……八百ラタグです。確認してください」

「ありがと」

「護衛しながら帰ってくるとは、傭兵らしくなったもんだな」

「そうでもないですよ。旅の間はお客さんとして馬車に乗ってましたからね」

「まあ、旅の間中ずっと護衛ってのも疲れるだろうからな……酒、ありがとな」

「いえ、それじゃいろいろとご配慮ありがとうございました……茜ちゃん、行こう」

「はーい」

傭兵組合を出た美咲たちは、広場に向かってフラフラと歩き出した。

ミサキ食堂に行く道から外れていると気付いた茜は、前に長い間ミサキ食堂を離れていたときのことを思い出した。

「美咲先輩、今日はどうしますか？」

「どうって、なにが？」

「また青海亭に泊まるんでしょーか？」

旅の間、ミサキ食堂は閉めたままだった。

春告の巫女のときよりも期間は短かったが、不在の間に埃も溜まっていることだろう。春告の巫女のときのように、今日は外泊して明日大掃除をするのかと茜が問うと美咲は頷いた。

「そうだね。でもその前に広場に寄ってもいい？」

「フェルさんですか?」

「うん。お土産渡したいし、アンナのことも伝えておきたいからね」

「あ、そうですねー」


ふたりが広場に入ってぐるりと周囲を見回すと、いつもの場所にフードを被ったフェルがいた。

美咲たちが歩み寄るのを見て、フェルはフードを脱いだ。

「ミサキ、アカネ、久しぶり。もういいの?」

なにが、とは言わない。

レールガンの情報の危うさはフェルも十分に理解しているのだ。

「うん。だから帰ってきたよ。お土産と報告があるんだ」

美咲はブローチと酒をフェルに渡し、アンナがリバーシ屋敷で小川に師事していることを伝えた。

「オガワって人はニホン人なんだよね?」

「そうだけど、なんで?」

「ミサキたち見てると、ニホン人ってだけで悪いことできなそうだからね。アンナはあれで案外抜けてるところがあるけど、ミサキたちと同郷の人が預かってるなら安心だよ」

「褒められてるのかな?」

「褒めてるよ。ミサキもアカネも真面目でよい子だって知ってるって意味だよ」

「よい子って、子ども扱い?」

「たまにはいいじゃない」

フェルは笑顔でそう言った。


青海亭にはツインルームがない。

前回はそれぞれにシングルを取ったが、今回は特別室に泊まってみようと茜が言い出した。

特別室は三部屋が続きの間となったスイートルームである。

シングル二部屋を取ることを考えればそのほうが安く上がるし、特別室に興味があった美咲としても否やはなかった。

三部屋が続きの間になった特別室は、もともとは青海亭の女将が住んでいた部屋を宿として開放したものであるため、ベッド以外にも生活に必要な設備はあらかた揃っていた。

炊事場も、小さな温泉も。

「特別室には専用の温泉があるって言ってましたけど、これですかー」

「露天風呂だったんだねー」

ベランダのような場所にお湯を引いた露天風呂は、ギリギリ外からは見えないような高さの目隠しが付いていて、空を見ることができるようになっていた。

「夜とか星が綺麗でしょーねー」

「そうだね。暗くなったら入ろう……って、これはひとり用だね」

「ですね。ところで、魚、女将さんに渡しちゃって大丈夫だったんでしょーか？」

土産だと言って、干物をいくつかと、鮮魚を凍らせたものを女将には渡してある。

女将も海の魚をミストの町で見るとは思っていなかったと驚いていた。

「凍らせて持ってきたってことにすれば、不可能じゃないだろうし、大丈夫じゃない？」

「まあ、女将さんも詮索はしませんでしたけど。むしろ、凍った魚見て喜んでましたね」

「女将さんはコティア出身らしいからね。だからほら、海もないのに青海亭って屋号なんだって」

その日、美咲と茜は遅くまで青海亭の特別室を堪能したのだった。


翌日、朝と呼ぶには少し遅い時間に美咲たちはミサキ食堂に戻ってきた。

ドアを開けると、しばらく閉めきっていたからか、空気が少し埃臭い。美咲たちは、まず窓や扉を全開にして淀んだ空気を入れ換え、部屋に溜まった埃をはたきで落とした。

同時に各魔道具に魔素を充填する。

洗濯機に洗濯物を入れて回し、各部屋の掃除をする。

留守にしていた期間はそれほど長くなかったはずだが、それなりに埃が溜まっている。

最近あまり食堂として活動していなかったが、ミサキ食堂はいちおう飲食店である。

器や調理器具の類いも綺麗にする。

玄関を開けて掃除をしていると、ご近所のおばちゃんが様子を見に来てくれたのでお土産の干物を渡す。

「茜ちゃーん。洗濯物、脱水しといてー」

「はーい。終わったら干しておきますねー」

洗濯を茜に任せ、美咲はプリンを作りはじめる。

冷蔵庫でプリンを冷やす頃には洗濯物を干した茜も下りてきた。

「茜ちゃん、雑貨屋の様子見てきたら？　私もご近所回りしてくるから」

「そうですねー。ちょっと行ってきます」

茜が雑貨屋に向かったのを確認した美咲は、アタックザックに土産の干物を詰め込んでご近所に挨拶して回った。

ご近所回りが終わったらその足で孤児院に向かう。

シスターに干物を渡してすぐに帰ろうとしていたのだが、子供たちにせがまれ、海の話を聞かせることになった。

子供たちも海についての知識はあるようだったが、本当に海水が塩水なのか、どんな生き物がいるのかと質問攻めにされる美咲であった。


美咲がミサキ食堂に戻るとフェルが来店しており、茜がプリンを出していた。

「フェル、またプリン？」

「もちろんだよ。プリンを超えるものと言ったらプリンアラモードだっけ？　あれしかないよ」

スプーン片手に力説するフェルに、美咲は笑顔を返した。

「そのうちまた作ったげるよ」

「絶対だよ。ところでミサキ食堂はいつから開店するの？」

「ん？　しばらくお休みにしようかと思っていたんだけど」

「そうなの？　結構待ってる人いるよ。昨日の夜、酒場でミサキが帰ってきたって話をしたら、食堂はいつからだって聞かれたし」

「そうなんだ。それじゃ明日から開店しようかな」

「美咲先輩、せっかくですから新メニュー……」

「追加しないよ。いままでのメニューで十分だし」

美咲に断られ、肩を落とす茜。

フェルは不思議そうに首を傾げた。

「ねえアカネ。ほかにどんな料理があるの？」

「カレーだけでも何種類もあるんですよ。パスタじゃなく、ナンってのを使うのもありですし、穀物を炊いたものにかけて食べるのも美味しいです。ラーメンも塩味以外の味がありますね。甘味だってパンケーキくらいは簡単に作れるでしょうし」

「ニホンって凄いんだね」

「ほら美咲先輩、この反応ですよ。これを見るためなら多少の苦労は」

「やりません」

「……はーい」

ミサキ食堂の開店準備は美咲と茜のアイテムボックスから各種材料、調味料を出すことで完了である。

その気になれば即日開店も不可能ではない。

待っている客がいるという話を聞いた美咲は、翌日から開店すると決めた。

「フェル、もしも今日も酒場に行くなら、明日から開店って宣伝しといて」

「うん。わかったよ」


翌日、ミサキ食堂は開店前から店の前に数人の行列ができていた。

フェルが情報を広めたことで、熱狂的なファンが並んでくれているらしい。

「ちょっと早いけど、開店しよっか」

大鍋ふたつと小鍋ひとつにお湯が沸いている。

いつでも開店できる状態だ。

「ですねー。今日も三十食限定ですか?」

「お客さん次第だけど、再開記念で五十食、いこうか」

「かしこまりー」

ピッと敬礼する茜。それを見て美咲は楽しそうに笑う。

「なにそれ……茜ちゃん、看板出してね」

「はいはーい。ミサキ食堂、開店でーす」

「ンまい！」

カレーパスタを食べた客が満足げに言葉を漏らした。

カレーパスタは茹でたパスタにレトルトカレーをかけるだけのお手軽料理なのだが、ミサキ食堂では一番人気のメニューである。

レトルトカレーはコンビニで買えるちょっとお高いものだけに、具材に柔らかな肉がしっかりと入っている。

「兄貴、それ好きっすねー」

「おうよ。こんな美味いもん、ほかに知らねぇからな。レニーも毎回それじゃねぇか」

レニーの前には食べかけのナポリタンが置かれている。

「甘くて美味いんすよ。兄貴にゃ悪いがこの店じゃ、これが一番好きっすね」

「まあ好みはそれぞれだ。ミサキちゃん、もう俺たちが最後みてーだしお代わり頼んでもいいかい？」

「そうですね。いいですよ」

表に待っている客がいないことと、営業中の看板が店内に片付けられているのを確認し、美咲はそう答えた。

「そ、それなら俺もナポリタンをお代わりしたいっす」

「えーと、クリスさんがカレーパスタ、レニーさんがナポリタンでいいですか？」

「おう！　それと日替わりのスープを」

「あ、俺も！」

「はい、承知しました。茜ちゃん、パスタふたつ、カレー、ナポリタン。カップスープふたつ」

「わかりましたー」

ミサキ食堂は開店初日から盛況だった。

常連さんが待ち構えるように列を作り、ようやく最後の客が入ったと思ったらお代わりのオーダーが入った。

ミサキ食堂の常連たちの間にはいくつかの暗黙のルールがあった。

そのうちのひとつが、最後の組の客以外はお代わりをしないこと、だった。

普段、限定三十食で閉店する店なので、そうでもしないと大勢に行き渡らないためだ。

今日はクリスとレニーがその権利に浴したようだ。

「兄貴、今日はついてましたね」

「おう。久しぶりに美味いもん食えたし、お代わりまでできるとはな」


クリスたちが帰ったあと、美咲と茜は食器と鍋を洗い、閉店後の後片付けを終えるとテーブル席に突っ伏した。

「今日は忙しかったですねー」

「最後のお客さんが入るまで途切れなかったからねー」

フェルの宣伝のお陰か、開店前から客が並び、閉店まで途切れることなく来客が続いたのだ。

美咲と茜は休む間もなく料理を続けたため、疲労の極みに達していた。

「やっぱり一日三十食が限界だね」

「そうですねー。疲れましたー」

「甘いものでも食べて元気出そう」

「わーい」

「シュークリーム……ダブルのやつ、ふたつー」

出てきたシュークリームをもしゃもしゃと食べ、なんとか元気を取り戻したふたりは、起き上がると揃って大きく伸びをした。

「茜ちゃん、今日はどうするの？」

「雑貨屋覗いてきます。昨日、在庫を補充したので、陳列とか確認してきます。美咲先輩はどうするんですか？」

「今日はフェルも来ないだろうし、少し広場のほうを散歩してくるよ」


いつもの〝青いズボンの魔素使い〟の格好に、フェルからもらったローブを羽織り、美咲は広場に足を運んだ。

広場での人間観察である。少しでもこの世界の常識を学ぶため、美咲にとって人間観察は欠かせない勉強の時間なのだ。

広場に着いた美咲が、広場の片隅にあるベンチに向かおうとすると、目的地周辺《ベンチのあたり》に人だかりができているのに気付いた。

「どうしたんだろ?」

美咲が人だかりに近付くと、人だかりが割れて、中から小さな女の子が飛び出してきた。

女の子は美咲に体を擦り付けると、そのままぐったりとしてしまった。

慌てて美咲は女の子の体を抱きしめる。

「え? なにこれ?」

「おー、ミサキちゃんが保護したぞ」

「〝青いズボンの魔素使い〟なら安心か。しかし珍しいこともあるもんだなあ」

「あの、誰か事情を説明してもらえませんか?」

なにが起きているのかわからず、美咲は周囲の人たちに問いかけた。

「ん? その娘、ベンチで寝てたんだけど、ミストの者じゃなさそうだし、保護者の姿も見えないから、どうしようかって、みんなで相談してたんだよ」

「ミストの者じゃないって、なんでですか?」

「ミストの町には獣人は住んでないからね」

「で、相談してたら急に目を覚まして逃げ出して、ミサキちゃんに体当たりしたってわけさね」

獣人と言われ、美咲は女の子に目を向けた。

黄色い髪の中に犬のような耳が生えていた。

そして、女の子の腰のあたりからは、ふわふわの尻尾が生えている。

「犬？　……この色はどっちかっていうと狐？」

「いくら春だからって、表に寝かしてたんじゃ風邪をひいちまうだろ？　ミサキちゃん、保護してもらえないかね？」

「保護って……こういうときってどこかの組合とかで面倒見たりは」

「この町にはそういう仕組みはないね。ミサキちゃんのところで面倒見れないんなら、孤児院に預けるけどさ」

美咲の腕の中で、女の子は安心しきったような表情で眠っていた。その寝顔に、美咲の中の母性本能が刺激された。

「……えーと、なんか懐かれてるっぽいので、ひとまず預かります」


美咲は腕の中の女の子を抱え直してミサキ食堂に戻った。

茜はまだ戻っていない。

二階に上がって自室のベッドに女の子を寝かせ、美咲は頭を抱えた。

「その場の勢いで連れてきちゃったけどどうしよう……あれだけみんなで騒いでたんだから、あそこには保護者はいなかったんだろうけど」

美咲は女の子の寝顔を観察した。

女の子の頭には耳が生えていた。

黄色い髪の色と同じその耳は、先端が黒くなっていた。

尻尾は、と見ると、髪色と同じ毛色で、先端が白。

美咲が見詰めていると、その視線を感じたのだろうか、女の子は尻尾をゆっくりと振った。

どう見ても本物だった。

「どこから来たのかな、君は」

女の子の耳をツンツンとつつくと、耳がピクピク動く。

靴を脱がせ、毛布をかけてその場を離れようとしたとき、不意に女の子の目が開いた。

「……おねーちゃん、だれ？」

「美咲だよ。君は誰かな？」

「エリー……おかーさんは？」

「お母さん、姿が見えなかったんだけど。迷子なのかな？」

迷子、という言葉に反応したのか、エリーの表情が歪み、泣きそうになる。

「待って待って。エリーちゃんのお母さんはなにをする人？」

「……よーへー」

傭兵ということは、傭兵組合に行けばヒントくらいはありそうだと美咲は判断した。

「傭兵か……傭兵組合、行ってみようか？」

「……うん」

美咲が差し伸べた手を握るエリー。美咲の手を握り切れず、人差し指と中指だけを握っている。

美咲の中で、なにか温かい感情が湧き上がっていた。

ふたりは連れ立って傭兵組合に向かっていた。

念のため、エリーを発見した広場を経由してみるが、エリーの母親に出会うことなくふたりは傭兵組合に到着した。

傭兵組合に入ると、怒声が聞こえた。

「だから！　〝青いズボンの魔素使い〟の居場所を教えなさいよ！」

シェリーに詰め寄るのは獣人の女性。黄色い尻尾が膨らんでいる。

美咲は手を振ってシェリーに合図する。

それを見たシェリーはホッとしたような表情を見せた。

「あの、マリアさん。〝青いズボンの魔素使い〟さんなら、そこにいらしてます」

「え？」

振り返る獣人の女性に美咲はエリーを差し出した。

「ども、〝青いズボンの魔素使い〟です。娘さん、届けに来ました」

「エリー！」

「おかーさん！」

ひしと抱き合う親子を眺めつつ、美咲は微かな寂しさを感じていた。

「エリーを保護してくれてたんですってね。ありがとうございます」

「いえいえ。こちらこそ勝手に連れていっちゃってすみません」

傭兵組合の待合用のベンチに並んで座り、マリアと呼ばれていた獣人の女性と美咲は、情報交換をしていた。

エリーはマリアの膝の上で丸まっている。

その右手は美咲の指を握っていた。

「エリーがこんなに懐くなんて珍しい……」

「可愛いですね。エリーちゃん」

「ええ、私の宝物です」

マリアはエリーの頭を撫でながら微笑んだ。

「ところでミストにはなにをしに？」

「白の樹海で行方不明になった……知り合いを捜すために来たんです」

「えーと、樹海探索をされるんですか？　エリーちゃんを連れて？」

「いえ、エリーはこの町に置いていくつもりなんです。それで探索の間、エリーを預けられる傭兵を探すために傭兵組合に来ていたんですが……」

傭兵の仕事は多岐にわたる。

ベビーシッターなども受ける者はいる。

「見付かったんですか？」

「それが芳しくなくて……そうだ。ミサキさん、しばらくエリーを預かってもらえませんか？」

「はい？」

「エリーもこんなに懐いてるし、どうでしょうか？　期間は十日間くらいと考えています。経費込みで一日六百ラタグお支払いします」

美咲はマリアの膝で眠っているエリーに視線を落とした。

可愛いと思った。愛おしいと思ってしまった。

だから、美咲は深く考えることをせずに頷いていた。


「ここが私の家、ミサキ食堂です」

エリーを預かる環境を見てもらうために、美咲はマリアとエリーをミサキ食堂に連れてきていた。

「食堂をやっているの？」

「昼の短い時間だけですよ。店員はいるので、エリーちゃんは私が見ていられます。寝るのは二階になります」

美咲は自室にふたりを通した。

「ここが私の部屋。エリーちゃんはひとりで寝たい？　それとも私と一緒に寝る？」

「いっしょにねる！」

「それじゃ、ここで寝ましょうね」

「……凄い数の本ね。学者でも目指してるの？」

マリアは壁に設置された本棚を見て呆れたような口調でそう言った。

本棚には日本語の本が何冊も並んでいた。美咲からすると小さな本棚なのだが、この世界の基準では、自宅に本棚が存在すること自体が大きなステータスだった。

「いえ、趣味ですよ」

「緑の傭兵で通り名持ちで趣味が読書で食堂経営をしてる、ね。もうなにが出てきても驚かないわよ」

「いえ、これ以上はないですよ……それでですね……獣人の方と接するのは初めてなんですけど、注意することってなにかありますか？」

「んー、獣人特有の注意点ってことなら、頭を洗うときは耳に水が入らないようにする。くらいかな。入っても拭けば平気だし。食べ物も特に制限ないし。あ、でも、エリーは辛いの苦手だから気を付けて」

「なにか習慣とかはありますか？」

「寝る前の歯磨きかな」

「歯磨きですか」

「そう、えっとね」

マリアは腰に着けたポーチから先端を潰した棒を取り出した。

「この棒をね、ガジガジ噛むの。寝る前にこれだけはやらせてね」

「はい。似たような習慣があるので一緒にやることにします」

尻尾にじゃれついてくるエリーをいなしながら、マリアは少し考え込んだ。

「あとはお散歩とお昼寝かな」

「食べ物で、私たちが食べるけど、獣人が食べられないものってありますか？　たとえばネギとか」

「ヒトやエルフ、ドワーフが食べられるものなら問題はないわね。好き嫌いは少しあるけど、気にしないでいいわ」

「わかりました。それで樹海の探索なんですけど……短期間で終わるんですか？」

樹海は広い。

十日ほどで探索できる範囲などたかが知れているだろう。

「義理を果たしに来たようなものですからね。見付からなくても期限が来たら帰ってきますよ」

「そうですか……出発は明日ですよね。今日は空いてる部屋に泊まってってください」

「助かるわ……エリー、今日はお母さんと一緒に寝ようね」

「うん！」


美咲がマリアの寝室の準備をしていると、一階から、

「ただいまー」

という声が聞こえてきた。

「あ、茜ちゃんにも紹介しておかないとね。茜ちゃーん！」

「はいはーい」

階段を上ってきた茜に、美咲はマリアとエリーを紹介する。

エリーは、マリアの尻尾に隠れるようにして恐る恐るといった様子で茜の様子を窺っていた。

どうやらその仕草が茜のハートを射抜いたらしく、茜はエリーに手を振って、怖くないよアピールをしている。

「同居人の茜ちゃんです。見ての通り、子供好きみたいなので」

「娘をよろしくお願いしますね」

「任せてください！　エリーちゃん、おねーちゃんと一緒に遊ぼー」

「やー！」

茜がエリーを撫でようと手を伸ばすと、エリーはマリアの尻尾に顔を埋めて隠れるのだった。


翌朝、白の樹海に向かうマリアを南門まで見送った美咲たちは、エリーを伴ってミサキ食堂に帰ってきた。

「エリーちゃん、朝ご飯はなにか食べたいものある？」

「んーとね、スープとパン」

「スープとパンね。ちょっと待っててね。茜ちゃん、お湯沸かして。パンは……パンケーキでいっか。あとはベーコンかな」

美咲はこの世界のパンを単体で買ったことがなかった。宿で食べたパンは、固くて少し酸味があり、買ってまで食べたいとは思えなかったのだ。だから、美咲はパンが食べたくなったときは、日本のパンを呼び出して食べていた。

だが、エリーに出すとなると日本製のパンでは異質すぎる。美咲は厨房に並んだ食材を前に少し考え、ほのかに甘いパンケーキを作ることにした。

牛乳と卵、砂糖は日本製になるが、小麦粉と植物油はこの世界産の材料なので、あとでマリアにレシピを聞かれても問題はない。

甘さを控えるのは、砂糖の高価さを鑑みてのことである。

カチャカチャと材料を混ぜ合わせ、温めたフライパンで焼くと、パンケーキの焼ける匂いが漂ってくる。

その匂いに反応してエリーの尻尾が激しく揺れる。

「おいしそー！」

「もうちょっと待っててね」

「まってるー！」

よじよじとテーブル席の椅子によじ登るエリーを見て、茜が身悶えていた。

「エリーちゃんはかわいーなー、もう！　スープも美味しいの作るからねー」

「ん！」

全員分の朝食を作り、全員でテーブル席に着く。

「はい、それじゃ食べようか。感謝を」

「かんしゃを！　ふぉー！　あまくておいしーの」

砂糖はごく僅かしか使っていないが、エリーは気に入ったようである。

ベーコンは柔らかめに焼いてあるが、これもエリーのお気に召したようで、はぐはぐと一生懸命に食べている。

スープはコーンポタージュである。最初はドロリとしたスープに不思議そうな表情だったエリーだが、一口飲むと目を輝かせた。

「エリーちゃん、足りなかったら、茜おねーちゃんの半分あげるからねー」

「ん。だいじょーぶ。おいしかったの」

「んー、エリーちゃん、可愛いなー。お口を拭きましょーね」

茜はエリーを構いたくて仕方がないようで、ハンカチを取り出してエリーの口元を拭いている。

朝食後、エリーは美咲のあとをついて回った。その後ろから茜が追いかけているので、まるで三人で追いかけっこをしているようだったが、先頭にいる美咲は単に屋内の掃除をしているだけである。

「エリーちゃんもやってみる？」

美咲がそう聞くと、はたきに興味津々だったエリーは大きく頷いた。

「これで、優しくパタパターって埃を落とすんだよ」

「ぱたぱたー」

「あーもう！　可愛いなー！」

「茜ちゃん、テンション高すぎ」

わー

「こんな可愛い生き物見て、テンション上がらないほうがどうかしてます！」

「いいけど、そういうテンションって嫌われるよ、きっと」

「ぱたぱたー」

「う、善処します」

各部屋で軽く埃だけ落とし、箒《ほうき》で掃けば掃除は終わりである。

「えーと、お掃除終わったし、エリーちゃんなにかしたいことある？」

「ボールあそび」

「ボール？」

エリーは自分の着替えなどが詰められたカバンからテニスボールほどの大きさの布の塊を取り出してきた。

「これをね、なげっこするの」

「そっかー、どこでやろうか？」

「おそと！」

「そっか。それじゃお外でボールの投げっこしようね。茜ちゃん、出番だよ」

「よろこんでー！」

茜とエリーのキャッチボールは、エリーが飽きるまで続けられた。

キャッチボールが終わる頃にはエリーも茜に慣れて、茜の指を握ってミサキ食堂に帰ってきた。

「楽しかった？」

「うん！　アカネおねーちゃんもなかなかやるの！」

「エリーちゃんも上手だったよ」

美咲がそう言ってエリーの頭を撫でると、エリーは楽しそうに尻尾を振った。

「くふふ、くすぐったいのー」


ミサキ食堂の営業は美咲と茜が交替で行うこととした。

パスタソースをレトルトに切り替えてから、塩ラーメンの注文以外は誰が作っても同じ味を出せるようになっている。塩ラーメンに載せる野菜炒めだけ美咲が作っておけば、ふたりが同時に店に出ている必要はない。

「それじゃ茜ちゃん、勝負」

「負けませんよ」

「「じゃんけん、ぽん！」」

自分の握りこぶしを見詰め、頽《くずお》れる茜。

初日の食堂担当は茜となった。


茜に食堂を任せ、美咲はエリーと一緒に食堂を出る。エリーのお昼ご飯兼お散歩が目的である。

「エリーちゃん、お昼、なにか食べたいものある？」

「んー、おにく！」

「そっか、それじゃ広場行こうか」

「うん！」

エリーは美咲の人差し指と中指を握った。

「抱っこしてあげようか？」

「だいじょーぶ。あるけるよ」

「あれ？　ミサキ？　その子、どうしたの？」

広場に到着すると、フェルに声をかけられる。

「あ、フェル。いま子守りの仕事してるんだ」

「へぇ、狐の獣人さんかな。可愛いね。私はフェルだよ。お名前は？」

「フェルおねーちゃん？　エリーだよ」

コテン、と首を傾けて挨拶するエリーを見て、フェルの体が震えた。

「か、可愛い……連れて帰りたくなっちゃうね」

「駄目だよ。私が預かってるんだから」

「エリーちゃん、可愛いねー」

フェルがそう言ってエリーの頭を撫でると、エリーは気持ちよさそうにパタパタと尻尾を振った。

「それでミサキ、エリーちゃん連れてお散歩？」

「ん。それとお昼食べにね」

「ミサキ食堂で食べればいいのに」

「それは雨の日に取っておくよ。毎日だと飽きちゃうからね。エリーちゃん、ご飯買いに行こうね」

「うん。フェルおねーちゃんまたねー」

「またね、エリーちゃん」


その日の昼は、屋台でホットドッグに似たものを買った。

エリーには少し量が多かったようなので、残った分は美咲が食べた。

食後、ふたりがミストの町の中をのんびりと歩いていると、エリーがぴたりと足を止めた。

「どうしたの？　疲れた？」

「あのね。あめのにおいがするの」

見上げればいつの間にか空には厚い雲がかかっていた。

「雨が降るのかな。急いで帰ろう。エリーちゃん、抱っこするよ」

「ん」

両手を伸ばしてくるエリーを抱きしめるように抱っこした美咲は、ミサキ食堂への帰路を急いだ。

食堂はもう三十食を売り切ったようで、看板は片付けられていた。

「茜ちゃん、ただいまー」

「ただいまー」

「あ、早かったですね。今日はなにを食べたんですか？」

「雨降りそうだから帰ってきた。今日はホットドッグもどき食べたから、明日は違うのにしてあげてね」

美咲がそう言うのとほぼ同時に、表から、サーッという雨音が聞こえてきた。

「あー、間に合ってよかったですね」

「エリーちゃんが、雨の匂いがするって教えてくれたんだよ。ね？」

「ねー！」

上半身を傾けるようにしてエリーが返事をする。

「あーもー、可愛いなー。エリーちゃん、アカネおねーちゃんとお昼寝しようか」

「アカネおねーちゃんと？」

「そうそう」

「ミサキおねーちゃんは？」

「三人で寝るにはちょっとベッドが狭いかな？」

「きょうはミサキおねーちゃんとねるの」

「じゃあ、明日は一緒に寝ようね」

「んー、うん」

エリーのいる生活は、美咲と茜にとって、掛け替えのないものとなりつつあった。

預かった子供に情を移しすぎるのはよくないと理性で理解していても、エリーのなにげない仕草にふたりのハートは完全に奪われていた。

「エリーちゃん、今日はなにして遊びたい？」

美咲の質問にコテンと首を傾げ、尻尾を振りながらボールを取りに走るエリーの姿に、美咲も茜も笑みを隠せなかった。

お風呂ではシャンプーを使って尻尾を洗うと、くすぐったそうにきゃいきゃい笑いながら抵抗したが、洗い終わると気持ちよさそうに甘えてきた。

お風呂上がりにはブラッシングであると茜が主張し、茜はエリーの頭から尻尾までブラッシングをした。

狐の尻尾はそれだけでふわふわになり、綺麗な艶まで出てきて、エリーはそれを見て嬉しそうにしていた。

歯磨きはあまり好きではなさそうだったが、虫歯になると肉が食べられなくなると教えると、丁寧に棒をガジガジと噛んで歯磨きをし、終わると、歯を見せに来た。

寝るときは抱き着いて眠る癖があるようで、夜は美咲か茜のどちらかが抱き枕状態になって眠ることになった。

そのくせ、いざ眠ると激しく動き回り、朝になると頭と足の位置が逆になっていることもしばしばあった。

おはようからお休みまで、足下にまとわりつくように慕ってくるエリーの愛らしさに、ふたりが抗えるはずもなかった。

そんなこんなで約束の十日はあっという間に過ぎていった。

そして十日後。

マリアはエリーを迎えに来なかった。

白の樹海でなにかトラブルがあれば数日程度は誤差だろうと美咲は考えていたが、マリアが迎えに来るのを指折り数えていたエリーは目に見えて萎れていた。

「おかーさん、こない」

「ちょっと遅れてるだけだよ。マリアさん、エリーちゃんのこと、宝物だって言ってたでしょ？」

「んー……」

ボール遊びも散歩も上の空で、寂しそうなエリーを見ていられず、美咲はエリーを抱きしめた。

「エリーちゃん、心配しなくてもお母さんはきっと戻ってくるからね」

「うん、へーき」

その日が終わっても、マリアは戻らなかった。

美咲からすればまだ誤差の範疇だが、エリーはボール遊びも散歩もせずに部屋でじっと自分の尻尾を抱きかかえるようにして大人しくしていた。

「美咲先輩、見てられません。なんとかできないでしょうか」

「たとえば、傭兵組合に行って、マリアさんの捜索を依頼するとかならできるけど」

「ならやりましょうよ！」

「白の樹海の中でなにかあれば少しくらいの遅れはあると思うんだよね。依頼を出しても行き違いになっちゃいそうで」

「それはそうですけど、エリーちゃんのこと見てられなくって」

茜は沈んだ表情でそう言った。

樹海の探索で十日ということは、どんなに深く潜るにしても片道五日が限界だ。

実際には真っ直ぐ進むのではなく探索をしながらだから、二、三日の行程の付近にマリアがいる可能性が高い。

マリアの捜索の依頼を出すとすればその範囲での捜索となるが、樹海の中では気付かず行き違いになるかもしれない。

マリアが無事で動ける状態ならおそらくそうなる。

だが、もしもマリアが怪我かなにかで動けなくなっているとすれば。

「……そうだね。なにかあって、動けなくなっていたら助けは必要だよね。依頼、出しに行こうか」

「エリーちゃんには？」

「んー、まだ伝えないでおこう。もしも泣き出すようなことがあったら、そのとき話そう」

「……わかりました。それじゃ、私がエリーちゃんを見てますから、美咲先輩」

「うん、傭兵組合に行ってくる」

傭兵組合を訪れた美咲は、マリアの捜索依頼を出した。

早ければ明日には捜索が開始される。

捜索の所要日数は十日間。

出した依頼が無駄になることを祈りながら、美咲は傭兵組合をあとにした。

美咲がミサキ食堂に戻ると、エリーが茜の膝の上で丸くなって眠っていた。

「ただいま。お昼寝？」

美咲が小声で尋ねると茜は小さく頷いた。

そっと扉を閉め、美咲はエリーの寝顔を眺めた。

自分の尻尾を抱えるようにして眠るその表情は、美咲には少し寂しげに見えた。

「そうだ……」

美咲は神頼みをすることを思い付いた。

この世界には女神がいる。

そして、美咲は神託を数回得たことがあるのだ。

王都の神殿は遠いが、この町にも女神像がある。

「ちょっと出かけてくるね」

帰ってきたばかりなのにと、不思議そうな表情の茜を背に、美咲は走り出した。

孤児院前に到着すると、美咲は汗をぬぐい、息を整えると孤児院の扉をノックした。

大して待つこともなく、シスターが子供たちに囲まれて現れた。

「おや、ミサキさん。今日はどうされましたか？」

「えーと、女神様の像の前でお祈りをしたいんですけど、いいでしょうか？」

「もちろんです。どうぞ」

礼拝堂の女神像の前で、美咲は跪いて女神に向けて祈りを捧げた。

(女神様。幼い子供が悲しんでいます。どうかエリーのお母さんを、マリアさんを無事に返してください)

女神からの神託はなかったが、美咲はそれだけを何回も祈り続けた。


翌日になってもまだマリアは戻らなかった。

そろそろ誤差の範囲を超えているようにも思えるが、美咲たちがエリーの不安を煽るようなことを言うわけにはいかない。

あくまでもマリアは少し遅れているだけだとエリーを宥《なだ》めながら、マリアの帰還を祈って待っていた。

美咲が傭兵組合に依頼の状況を問い合わせに行くと、依頼は前日のうちに受注されたとのことだった。

三名の緑の傭兵が依頼を受け、前日のうちに白の樹海に向けて出発したと聞き、美咲は小さく安堵の溜息をついた。

(これで、エリーに聞かれたときに、もう助けが向かってると言える)

食堂に戻ると、エリーが自分の着替えが入ったカバンを持って、食堂からこっそり抜け出そうとしていた。

「エリーちゃん、どこに行くのかな?」

「おかーさん、むかえにいくの」

「どこに迎えに行くのかな?」

「……じゅかい?」

「……戻ろうね。お母さんが帰ってきたときにエリーちゃんがいなかったら、お母さん、心配するよ」

「でも、でもね」

美咲はエリーの前に膝をついて、視線の高さを合わせて、エリーの目を真っ直ぐに見詰めた。

「お母さんはエリーちゃんを宝物って言ってたよね」

「うん」

「宝物を置いていくわけないでしょ。エリーちゃんはここで待っていればいいんだよ」

美咲はそう言ってエリーを抱きしめた。

エリーはしばらくの間、静かに抱きしめられていたが、やがて、我慢の限界が訪れたのか、泣きじゃくりはじめた。

「おか、おかーさん……エリーここだよ……」

「ん。大丈夫だよ。お姉ちゃんのお友達がお母さんを迎えに行ってくれてるからね」

翌日の午後、シェリーがミサキ食堂に走ってやってきた。

「ミサキさん！　マリアさんが見付かりました。いま、傭兵組合にいます！」

シェリーの言葉の意味を、美咲は一瞬、理解できなかった。

言葉の内容に理解が及ぶと、樹海に潜ったにしては早すぎる。という思いがよぎったが、傭兵組合にいるという表現から、生きていると判断し、エリーを呼んだ。

「エリーちゃん！　お母さん見付かったって、一緒に行くよ！」

「うん！」

美咲はエリーを抱っこして走りはじめた。

その後ろから茜が付いてきている。

傭兵組合の扉を乱暴に開くと、マリアがソファに横になっていた。

それを見るや、エリーは美咲の腕を蹴ってマリアに向かって跳んだ。

「おかーさん！」

マリアはエリーを抱き止めるとしっかりと胸に抱きしめた。

「エリー？　遅くなってごめんね。足を怪我しちゃってね……ミサキさん、捜索依頼まで出してもらってすみません。怪我をして歩けなかったので助かりました」

「お怪我の具合は？」

「女神の口付けである程度治りました。いま、治療をしてもらっていたところなんです」

「そうですか。エリーちゃん、本当に心配してたんですよ。甘えさせてあげてください」

「はい、もちろんです」

マリアはエリーを抱きしめながらそう答えた。

マリアの足の怪我は、女神の口付けでは完治しなかった。

怪我をした足で、無理を押して樹海から脱出したため、女神の口付けでは癒やしきれない深い怪我となっていたのだ。

女神の口付けによる治療で日常生活を送る分には支障はない程度に回復はしたが、戦う傭兵を生業とし続けるには無理があった。

「いい機会です。これからはエリーと一緒に暮らすことにしますよ」

マリアはそう言ってエリーを抱きしめた。

「マリアさんの拠点ってどこなんですか？」

「決まった町はないんですよ。ずっと旅から旅だったから、エリーにも随分と寂しい思いをさせてきました」

マリアはエリーの髪を撫でながらそう答えた。

そんなふたりを見ながら美咲は少し考え、結論を出した。

少なくともエリーはもう他人とは思えない。

「あの、なんならミサキ食堂で仕事しますか？　仕事内容は接客とお皿洗い、住み込み、賄い付きで一日四百ラタグくらいでどうでしょう？」

宿に泊まれば宿代だけでもかなりの出費となる。だから、少しでも助けになればと美咲はそう提案した。

　ミサキ食堂は、美咲の呼び出しの秘密を守るために店員を雇わない方針だったが、皿洗いと接客だけであれば、それほど致命的な部分に触れることはない。

「そんな、ただでさえご迷惑をおかけしたのに」

「エリーちゃんと一緒にいるにはいい職場だと思いますよ。拘束時間も短いですし……なにより、私がエリーちゃんと一緒にいたいんです」

　真剣な美咲の言葉に、マリアは俯いた。

「少し……考えさせてください」

「はい。ゆっくり考えてください。それと、ミストにいる間はうちに泊まっていってくださいね」

「本当にいろいろ、ありがとうございます」

「茜ちゃんもいいよね？」

　美咲は振り向くと茜に問いかけた。

　茜は大きく頷き、

「もちろんです！」

　と笑顔を見せた。

　マリアの膝で泣き疲れたエリーを茜が抱っこして、一行がミサキ食堂に戻ると、美咲はアイテムボックスからポーションを取り出した。

「あの、女神の口付けのもとになったお薬です。試しに飲んでもらえませんか?」

「女神の口付けって、もとは飲み薬なの？　それを持ってるってことは、ミサキさんは、女神の口付けの製作者のお知り合いなんだ」

「ええ、同郷です」

マリアはポーションを受け取り、蓋を開けるとゆっくりと口に含んだ。

そして一口飲み、少し驚いたような表情を見せる。

「……意外に美味しい」

残りを一気に飲み干すと、調子を試すように足首を曲げたり伸ばしたりする。

「どうですか?」

「残念だけど、変わりませんね……これからはエリーのそばにいなさいっていう女神様のお告げなのかな」

「そうですか。えっと、それじゃ茜ちゃん、エリーちゃんをベッドに。そばに付いていてあげてね」

「はい」

茜とエリーを見送り、美咲はマリアに向き直った。

「とりあえずお風呂に入ってゆっくり休んでください。なにか食べますか?」

「ありがとう。なにか軽いものがあると嬉しいな」

「それじゃ、お風呂に入っている間に作っておきますね」

「……なにからなにまで本当にありがとう」

「どういたしまして。さ、お風呂どうぞ」

マリアにお風呂のシャンプー類の使い方を説明した美咲は、厨房に戻ると冷蔵庫から卵と牛乳を取り出し、小麦粉と砂糖を用意した。

作るのはエリーにも好評だったパンケーキである。

「えっと、あとはベーコン焼いて、お酒も用意してあげたほうがいいかな？」

美咲が軽食を用意していると、階段からトットットッと足音が聞こえてきた。

振り向くと、そこにはエリーがいた。

エリーの後ろから、困ったような表情の茜が顔を覗かせている。

「あ、エリーちゃん、起きちゃったんだ。お母さんはいま、お風呂だから」

「……ん」

「……エリーちゃんも食べる？」

「うん。おかーさんと食べる」

「パンとスープでいい？」

「うん！」

笑顔で頷くエリー。

その笑顔にホッとしながら美咲は小鍋にお湯を沸かしはじめた。

エリーは美咲の足下に近寄ると、美咲の足を抱きしめてきた。

「エリーちゃん、危ないよ」

「んー、ミサキおねーちゃん。すきー」

「茜ちゃん、どうしよう、告白されちゃった」

「なに言ってるんですか美咲先輩は。エリーちゃん、茜おねーちゃんは好き？」

「んー、すきー」

「それじゃ茜おねーちゃんと、ご飯できるの待ってよーねー」

狐の尻尾をゆらゆら揺らしながらエリーは茜に手を引かれ、テーブル席に座った。

椅子に座って足と尻尾をパタパタと揺らしているのを見ながら、美咲は焼き上がったパンケーキとベーコンを皿に載せ、ふたりの前に並べた。

「できちゃったけど、エリーちゃん、お母さん待つ？」

「まつー」

お風呂場のほうからカタカタと音が聞こえる。

どうやらマリアが風呂から上がったらしい。

カップスープの粉だけカップに入れて、美咲はお湯の火を止めた。

「ミサキさん、お風呂ありがとうございました」

マリアが風呂から出てきた。

髪も尻尾も綺麗になっている。

「おかーさん、ごはんたべよー」

「ちょうど、スープができたところです。お酒もありますけどどうします？」

「う……スープで。お酒はまたの機会に」

「はい、それじゃ、席に着いてください」

カップにお湯を注ぎ、スプーンでかき混ぜたものをマリアとエリーの前に置く。

「茜ちゃんはこっちねー」

「はーい。それじゃマリアさん、エリーちゃん、ごゆっくりー」


食事のあと、マリアとエリーは部屋に戻った。

エリーはともかく、マリアはここしばらくの間、樹海の中で探索をしていたのだ。

疲れ果てていることだろう。

ふたりを見送り、美咲は食品庫の扉を開けた。

「どうしたんですか?」

「ん? マリアさんたちと住むことになったら、食材の補充に一手間かけないといけないかなって思ってね」

「あー、それはありますねー。雑貨屋に置いといて、たまにこっちに持ってきてもらうようにしましょうか?」

「あ、それいいね。それでいこう」

毎回である必要はない。

たまにでも外部から食材の搬入があれば、それだけで十分にアリバイ作りになるだろう。

ふたりがそんな話をしていると、扉をノックして、フェルが入ってきた。

「ミサキー、プリンある？」

「あ、フェル。久しぶり。プリンならあるよ。ちょっと待っててね」

「うん……あれ？　アカネもいるね。エリーちゃんは？」

「マリアさん……お母さんが帰ってきたから部屋で寝てるよ」

「そっかー。お母さんが戻ってきたってことは、子守りのお仕事は終わりなのかな？」

「子守りはね……できたら、マリアさんにはここで働いてもらいたいんだけど」

「へえ、ミサキ食堂はニホン人じゃないと働けないのかと思ってたよ」

「接客とか皿洗いなら別に誰がやっても同じでしょ？」

プリンをフェルの前に置きながら美咲は肩を竦めてみせた。

「そりゃそうだね。感謝を」

そう言ってプリンを一口食べ、フェルは満面の笑みを浮かべるのだった。


マリアが帰ってきた次の日、ひとりで起き出してきたエリーを美咲が抱っこしていると、眠そうな顔のマリアが二階から下りてきた。

「あ、マリアさんおはようございます。もっと寝ててもよかったんですよ。樹海で疲れてるでしょう？」

「昨日は明るいうちから寝たので十分に疲れは取れましたよ。エリーの相手、ありがとうございます」

「遊んでもらってるのは私のほうですよ。ねー、エリーちゃん」

「ん。ミサキはなでなでじょうずなの」

美咲の膝の上で器用に転がりながらエリーは尻尾で美咲の顔をくすぐる。

その尻尾を捕まえて、美咲がブラッシングをすると、エリーはきゃいきゃいと嬉しそうに笑った。

「それで、ミサキ食堂に就職する決心はつきましたか？」

エリーを抱っこし直しながら美咲が尋ねると、マリアは申し訳なさそうな表情を見せた。

「もう少し考えさせてください。とてもいい条件だとは思うんですけど」

「条件の希望があるなら相談に乗りますよ。でも、まあ、ゆっくり考えてみてください。さて、ご飯を作りますけど、苦手な食べ物とかありますか？」

「なんでも大丈夫です」

「それじゃ、ミサキ食堂のメニューから適当に作っちゃおうかな。茜ちゃん、ナポリタン四人分お願いね」

「はーい」

マリアにはミサキ食堂の日常を知ってもらうため、その日の仕込みから閉店まで、テーブル席で美咲たちの仕事ぶりを見てもらった。

仕込みといっても、美咲が肉野菜炒めを作る以外は、大鍋にお湯を沸かすだけ。

塩ラーメンが出たとき以外は、調理らしい調理もない。レトルト食品については、作り置きを温め直しているのだと説明し、いつも通りを心がける。

客の回転が速い分、洗い物は次から次へと追加されるが、一日限定三十食の縛りがあるので、言うほど大変でもない。

一通りの片付けを終え、美咲はマリアに、これでミサキ食堂の仕事は完了だと告げた。

「思ったよりもやることないのね」

「まあ、食材は別の場所で加工を済ませたものを使ってますからね。昼の間はちょっと忙しいけど、それ以外はずっとエリーちゃんといられますよ」

「そうですね。これなら、安心かな。エリー」

マリアはエリーの前に膝をついて、目を合わせた。

「なーに？　おかーさん」

「ミサキお姉ちゃんと、アカネお姉ちゃんのこと、好き？」

「すきー！」

「それじゃ、ここに住んでもいい？」

「うん！」

エリーの頭を撫で、マリアは立ち上がり、ミサキに頭を下げた。

「ミサキさん、これからよろしくお願いします」

「こちらこそ。エリーちゃんもよろしくね？」

「ん？」

よくわかっていないのか首をコテンと傾げるエリーだった。

アーティファクトの調査

この世界には迷宮というものが存在する。

迷宮は世界創造の頃、女神によってもたらされた異界とされている。

異界と現実の狭間には巨大な石造りの門がそびえ立ち、門を覗き込めば、そこに門の向こう側の景色はなく、ただ暗闇が広がっている。

門の扉は、誰が触れずとも一定間隔で開閉を繰り返し、迷宮探索をする者を待ち受けている。

扉が開いているときに一緒に足を踏み入れた者同士がパーティーとして認識され、迷宮内でパーティーメンバー以外の者と遭遇したという話はない。

迷宮内には多くの魔物が棲息しているが、その魔物は地上の魔物と異なり、倒されると光の粒となり、魔石や肉、爪や牙や毛皮といったものを残す。

また、階層ごとに宝箱のようなものが隠されており、そこには不思議な宝が眠っている。

女神の神託により、迷宮の魔物が残したものはドロップ品、宝はアーティファクトと呼ばれていた。

迷宮で発見されるアーティファクトは多種多様だ。

魔道具に似たものであることが多いが、変わった生地の衣類や、薬品が出てくることもある。

ただそのどれもが、人の手では再現不可能といわれていた。

その日、魔法協会に持ち込まれたのは一風変わったアーティファクトだった。

それを目にした小川は、長い溜息をついた。

「これは……穴を掘るアーティファクトですか？」

「一目で見抜くとは、さすが賢者様ですね」

アーティファクトを持ち込んできた、エトワクタル王国には珍しい褐色の肌の女性——宮廷魔導士のミズカ・フォレストは目を丸くする。

ミズカは外見だけならば二十歳そこそこの女性だった。薄茶の長い髪は艶やかで、宮廷魔導士が務まる年齢にはとても見えない。

だが、宮廷魔導士は魔法協会から選ばれたエリートだ。見た目で判断をするのは危険である。

魔法協会員という立場こそ同じだが、小川からしたら地方の支社に本社からお偉いさんがやってきたような感覚だった。

「賢者様とか勘弁してください。いや、でもこれ、魔法協会で開発中のスコップという道具にそっくりなんですよ。それで、スコップが効率よく穴を掘るための道具なので」

「なるほど、だからこれを見た方は、私に魔法協会に行けと命じたのですね……それにしても面白い偶然ですね。そんなに似ているのですか？」

「大きさ、全体の形状はとてもよく似ています。ああ、でもこの平たい部分、このアーティファクトは四角くなっていますけど、魔法協会のスコップは先端が尖っていますし、製造費を抑えるために柄の部分は木で作っているとか、細かい違いはありますね」

小川は農業技術の発展に寄与するためという動機で魔法協会に就職し、基本的にはその関連の仕事を行っていた。

美咲が来てからは新魔法開発にも手を出しているが、小川がメインの仕事と考えているのは、あくまでも農業改革への道筋を作ることである。

その一環として、地球の道具の形状を真似てスコップや鍬などを開発して、四圃輪栽式農法の試験用に借り受けている実験畑で、道具類の運用実験を行っていた。

「それで、ミズカさん。ええと、王宮は、魔法協会のスコップと似ているからという理由で、これが穴掘りの道具と認識しているのでしょうか？」

「いえ、違います。これを産出した白の迷宮がある町の鑑定屋が、そのように鑑定したのです」

「鑑定屋、ですか？」

小川は初めて聞く名前に好奇心を刺激され、その視線をスコップからミズカのほうに向けた。

小川が知る限り、この世界には茜以外に『鑑定』という能力を持っている人間はいない。

だから、どういう方法で鑑定を行っているのか、その仕組みに興味を持ったのだ。そして、もしもそれが簡単に利用できるようなら、回復魔法開発のときに茜に手伝ってもらったような実験が容易にできるようになるかもしれない、と考えた。

「物品の鑑定ができるアーティファクトがあるのですが……ご存じないようですね。鑑定のアーティファクトには籠があり、そこに鑑定したい物を入れると、それがどういうものなのかがわかる

いそうです」

「便利ですよね。もっと数があればよいのですが、各迷宮の町にひとつずつと、王宮に三つしかな
のです」

「そんな便利なアーティファクトが……ならそれを」

魔法協会にひとつ譲ってもらえないだろうか。そう言いかけた小川に対して、ミズカは続けた。

「……王宮ではそれをなにに使っているのでしょうか？」

「鉱石や貨幣の確認などに用いているようですけど、詳しいことは機密だそうです。なかなか使用予約ができませんが、私もたまに利用させてもらっています」

エトワクタル王国の主な輸出品は鉄鉱石や魔法金属などと呼ばれることもある聖銀や魔銀である。鉱石の確認は、それらの品質確保のためだろうと小川は推測した。

「……あれ？　でもミズカさんがこれを持ってきたのって」

「はい、このアーティファクトの使い方がわからなかったのです」

「鑑定のアーティファクトがあっても、使い方まではわからないものなのですか？」

回復魔法の開発時に必要に迫られて、茜の鑑定の精度を確認していた小川は、茜なら使い方まで鑑定でわかるはずだと考え、その違いに疑問を感じた。

「今回鑑定できたのは用途と素材までで、使い方まではわからなかったそうです……こちらを」

ミズカは一枚の紙を小川に手渡す。

上質紙に近い感触の紙を手にした小川は、まずそこに記された内容よりも紙そのものに興味を

持った。

この世界で小川が見たことがある紙といえば、高価な羊皮紙か質の悪い藁半紙だけだったのだ。そんな環境で真っ白な上質紙が出てきたら、驚かないわけがない。

「この紙はどちらで？」

「鑑定のアーティファクトによる鑑定結果は、その薄い紙に書かれるのです。紙はアーティファクトが生み出します……まず内容を読んでみてください」

「穴を掘るための道具。錆びない鉄と聖銀と魔石。未使用時間が長いほど、連続使用可能時間が長くなる？」

上質紙には、大きさの整った文字が等間隔で並んでいた。

まるで印刷されたみたいだ、と小川は考え、鑑定のアーティファクトには紙を生み出し、そこに結果を印刷する機能があるのだろうと納得することにした。

「鑑定のアーティファクトでわかったのはそれだけでした。それで、王宮ではこれをキナムの町に送ることにしたのです」

キナムの町は鍛冶で有名だが、聖銀を産出する鉱山を擁しており、金属の精製なども行っている。それを知っていた小川は、鉱山を大きくするうえで、地表の開拓も必要となったのだろうか、と首を傾げた。

「キナムですか？　鍛冶と鉱山の町でしたね。坑道への道を整えるため、でしょうか？」

「採掘のために決まっているじゃないですか。使い方については、現地で試行錯誤することになるだろうと思っていたのですが、どうにも使えないということで戻ってきたのです」

「で、それをお持ちになったと。つまり僕にそのアーティファクトの使い方を調べて、使えるようにせよ、というお話でしょうか？」

「そうですね。不可能魔法の開発に挑み、それを成し遂げた賢者様の英知に期待しています」

「……なるほど。善処します」

小川がスコップのアーティファクトを受け取ると、ミズカはニコニコとした笑顔のまま、小川を見詰めた。

「ええと、ほかにもなにか僕にご用ですか？」

「あなたが、どうやって使い方を調べるのかを見ておきたいのですけど、お邪魔かしら？」

「いえ、滅相もない。どうぞ、ご存分に」

はいその通りです、と言いたい小川だったが、相手が悪かった。

小川はアーティファクトのスコップを、普通のスコップを使うときのように握ってみた。

右手で取っ手部分を持ち、柄の中ほどに左手を添える。

その状態で、小川が魔素感知を使ってスコップ全体の魔素の分布を確認すると、スコップの先端に魔素が集まりはじめているのが確認できた。

「魔素はちゃんと反応しているようですし、使えそうな感じもありますけど……室内じゃ無理ですから、外の……裏の空き地で試してみましょう」

「ええ」

小川が部屋から出ると、小川の部下たちが、心配そうな顔で小川とミズカの様子を窺っていた。

そのひとりに声をかけた小川は、サンプルとして保存されている魔法協会製のスコップと、もともとこちらの世界で使われていたスコップを持ってこさせる。

「ミズカさん、これがうちで作ったスコップで、こちらは従来のものです」

「確かにアーティファクトと似ていますね。従来のスコップにはこの持ち手の部分がなくて、先端部は板というよりも短剣みたいな形状で……その、素朴な疑問なのですけど、この新しいものと従来のものの基本構造はよく似ていますけど、新しいものを開発する意味があるのですか？」

「まあ、棒と掘るための板があるっていう基本的な構造は似ていますね。実際、企画を提出したときにも同じような意見をいただきました。使ってみないとわかりにくいですが、新しいほうは扱いが簡単で、必要な力も減ります。これも外で試してみますか？」

小川が尋ねると、ミズカは少し驚いたような表情を見せた。

「いいの？　室内にあったってことは、保存用の資料でしょうに？」

「壊れるような使い方をしなければ問題ないです。あとで洗うだけですから」


魔法協会の裏手には小さな空き地がある。

昼下がり、日当たりのよい場所に猫たちが転がっているのを横目に、小川は空き地の隅のほうにミズカを案内した。

「それでは、このあたりで試してみましょうか」

そう言って小川はアーティファクトを、普通のスコップを使うように持ち替えた。

小川自身の魔素が使われているような感覚はなく、周囲の魔素濃度が低下した様子もないが、スコップの先端、板の部分の魔素濃度が増えたことがわかった。

それを確認した小川は、スコップの先端を地面に突き刺した。

すると、スコップの先端は、なんの抵抗もなく地面に吸い込まれる。

「なるほど……こういう機能ですか」

「え？　今、なにかあったの？　地面に先端を刺しただけよね？」

「ええ……まあそうですが、その際、抵抗なく地面に刺さったんです」

そう言いながら、小川は地面に刺さったままのスコップを動かし、土を持ち上げてみた。

先端を軽く動かしただけで大量の土が地面から抉《えぐ》り取られる。そのままスコップを持ち上げると、思っていたよりも土の重みが軽く感じられることに驚く。

「凄いな。こんなのがあったら、開拓は随分楽になりそうですね」

そこまで感想を言ったところで、小川は、ミズカが自分のことを睨んでいるのに気付いた。

その目は、私にもわかるように説明しなさい、と言っていた。

「ええと、ですね。これはまず、地面に刺すときに力を必要としません。土中に石や根っこがあった場合はわかりませんけど。で、刺した先端を斜めにして土を抉り出すときも力がほとんどいらないです。もうひとつ、これは僕の主観ですけど、こうやって掘り出した土が少し軽く感じます」

「なにを言っているのか、意味がわかりません。それのどこが凄いのですか？」

「あー……そうですね。こっちの、従来型のスコップを使ったことは？」

「ないけど……ああ、つまりそれと比較してみろということね？　貸して」

小川の手から、従来型のスコップ——取っ手の部分がなく、長い棒の先端に短剣を付けたようなもの、を奪い取ったミズカは、両手で棒の部分を持ち、地面に先端を突き立てようとする。

しかし、長年荷下ろしに使われてきた空き地の固く締まった地面は、その先端の侵入を許さなかった。

地面に深さ数ミリの線を数本引いたところで、ミズカは憤懣《ふんまん》やるかたないと言わんばかりの顔を小川に向ける。

「どういうこと！」

「まあ、最近雨もなかったですから……次はこっちを試してみてください」

従来型のスコップと新型のスコップを交換し、ミズカは首を傾げた。

「どうやって使うの？」

「こう持って、先端を地面に刺してから、この部分に片足を置いて、体重をかけます」

小川がアーティファクトを使って持ち方と使い方を説明すると、ミズカは頷いてスコップを地面に突き刺した。

今度は先端が数センチ食い込む。

ミズカが体重をかけると、先端部が僅かだがさらに刺さる。

「それでですね。取っ手を手前に引くようにして、テコのように先端を動かすと、土が抉られます」

「……なるほど、こうね？」

科学が未発達とはいえ、この世界でも現象としてのテコの原理は知られている。

ミズカは小川の指示に従って地面から僅かな土を掘り出した。

「そう、まあ、そんな感じです。そのふたつ、随分と必要な力が違いますよね？」

「そうね……確かにこれほど違うのなら、魔法協会が研究して広める価値はあるわね」

「ありがとうございます。それでは今度は、こちらのアーティファクトを試してみてください」

「それはいいわ。さっきの見てたもの……確かに穴を掘るアーティファクトね。効果は微妙だけど、実際に機能するし……でもだとしたら、なぜキナムではこれを使えないって返してきたのかしら？」

不思議そうにそう尋ねてくるミズカに、

「推測でよければお答えします……あと、ちょっと実験をさせてください」

と小川は答え、ミズカはそれを首肯する。

「推測でも構わないし、実証実験なら望むところよ」

「ではこちらに」

小川は、少し離れたところに転がっている漬物石ほどの大きさの石に向かって歩き出す。

「……ミズカさんが鉱山の鉱夫や、その管理者だとして、そこに穴を掘る道具が届いたと仮定します」

「鉱夫と仮定ね？　いいわ」

「では、あなたはその穴掘りの道具を使い、どこに穴を掘るでしょうか？」

「地面でしょ？」

「鉱夫が日常的に穴を掘っているのはどこですか？」

「それは……ああ、そういうこと？　これ、鉱山では……つまり石に対しては使えないってあなたは推測しているのね？」

小川は頷くと、大きな石にアーティファクトの先端を当て、ゆっくりと力をかける。

石の表面を金属が引っかく音がするだけで、石が割れたりすることはなかった。

「そういうことね……だとしたら、随分使い勝手の悪いアーティファクトね？」

「土中の小石や木の根っこがどうなるのかは不明ですので、まったく使えないと決めつけるのは早計だと思いますけど、まあ、鉱夫がこれを使えないって判断した理由は多分、採掘の道具としてという基準で見ていたからでしょうね」

「理解したわ。それにしても……本当に問題が解決するとは思ってなかったわ。ありがと」

「たまたま、似た道具の知識があっただけです。偶然ですから、そんなに買いかぶらないでください」

小川がそう答えると、ミズカは楽しそうな笑みを浮かべた。

「あなた、面白いわね。これからもいろいろと相談に乗ってもらうかもしれないから、覚悟しておいてね？」

こうして小川をアーティファクト研究の第一人者と判断したミズカは、以降、不明なアーティファクトがあると小川のもとに現れるようになるのだが、それはまた別のお話。

フェルのミサキ観察日記

それは、ミサキ食堂に新しい住人が増えて、少し経った頃のことだった。

私が魔素の補充の仕事を終え、椅子にしていた木箱に荷物を詰めていると、ミサキが広場にやってきてベンチに座ったのだ。

ミサキはたまにああやってベンチに座って、なにをするでもなく広場を眺めていることがある。

ローブを着て目立たないようにしているようだが、ミサキの背丈でローブを着てフードまで被っていると、それだけで目立ってしまう。

「なにやってるんだか」

木箱を収納魔法にしまった私は、ミサキに見付からないように広場を迂回してミサキの後ろに回り込む。

広場を眺めているミサキは、魔素補充の露店を畳んだ私に気付かずに広場をボーッと眺めている。

ゆっくりとミサキに近付くと、私はミサキを後ろから抱きしめた。

「ミサキ！　なにやってるの？」

「きゃっ！　ってフェル？　びっくりさせないでよ」

ベンチの上で転がりそうになりながらミサキが振り向く。

ローブのフードは半分ほどズレて、女神様の色のポニーテールが零れる。

「それで、なに見てたの？」

「なにってわけじゃないんだけど、強いて言えばアレかな」

ミサキが指差すほうを見ると、広場の中央付近に人だかりができていた。

その中央では、若い男性が弦楽器を鳴らしている。

「ああ、吟遊詩人だね」

「初めて見たんだけど、珍しいものじゃないの？」

「ミストの町じゃ珍しいね。普通ならもっと大きな町で稼ぐだろうから……聴きに行ってみる？」

私の問いに、ミサキは人だかりを見て首を横に振った。

「混んでるみたいだからやめとくよ」

「それでミサキはなにをしてたの？」

「あー、うん。なにというか人間観察？　ボーッと広場を眺めるのが好きなんだよね」

変わった趣味だとは思ったけれど、まあミサキがすることだし、と私は納得することにした。

「フェルはなにしに来たの？」

「ミサキを見付けたから挨拶にね。あと、暇そうなら一緒に食堂に行ってプリンを食べようかなと」

「あー、なら一緒に食堂に行こうか」

「そうだね。ところで、今日はエリーちゃんはなにしてるのかな？」

私にもよく懐いてくれている狐人の子供の名を出すと、ミサキは微笑んだ。

「うん。今日は北門を出たあたりの農耕地帯に動物を見に行ってるよ」

ミストの町の北の塀の外側には用水路に囲まれた農耕地帯が広がっている。

塀の中よりは危険だが、用水路で囲まれているエリアに魔物が入ってくることはほとんどない。

いまは子ヤギがいるとかで、エリーちゃんはマリアさんに連れられて、それを見に行ったそうだ。

「そっか、食堂にいないのはちょっと残念だけど仕方ないね。それじゃ、プリンを食べに行こう」

「はいはい」


ミサキと連れ立ってミサキ食堂に向かう。途中、古着屋の屋台の前を通りかかる。

「ミサキ、古着屋に新しいのが入ったらしいけど、覗いていく？」

「新しいの？」

「王都から仕入れてきたんだって。染色したのとか、刺繍が入ったのとかもあるらしいよ」

「あー、うん。ちょっと見ていこうかな」

性格は大人しめなのに、ミサキはいつも染色した服を着ている。

アカネもそうだから、多分、ニホンには派手好きが多いのだろう。

どうやって染めているのかもわからないような、はっきりとした色合いの服を着ているミサキには物足りないかもしれないけれど、私たちは古着屋を覗いてみることにした。

「へぇ……これなんかフェルに似合いそうだね」

古着屋で綺麗な若草色のシャツを見付けたミサキは、それを私にあてがって頷いている。

「綺麗な緑とか青って出すのが大変なんだよ。高いんじゃない？」

「こっちの棚にあったから高めかもだけど、エルフっぽいイメージって緑じゃない？　森に住んでるイメージあるし」

「森に住むエルフが着るのは、どっちかっていうと茶色や黄色系の服が多いかな」

森に住むエルフは、町に住むエルフよりも染色した布を使うことが多い。周囲に染色に使える素材が多いからだろう。そうやって染色された布は、町に持ち込まれて森エルフたちの貴重な現金収入源にもなっていると聞く。

「ミサキには、これとか合うかもね」

私は明るい黄色に染められたチュニックをミサキに合わせてみる。

飾りの少ないシンプルなチュニックは、ミサキの黒髪とよく似合っていた。

「Aラインの素朴系ワンピかぁ。着こなすの難しそうだね」

「これに濃いめの色の上着とか合わせてもいい感じになりそうだけど」

古着屋の在庫から、黒っぽい上着を見付けて、さらに合わせてみる。

サイズも問題なさそうだし、配色も悪くない。

「ミサキ、これ、お薦めだよ。よく似合ってる」

「そう？　工業製品ってわけじゃないから同じ服に逢えることはないだろうし……うん、買ってみるよ」

ミサキはチュニックと上着を買うと、服を抱きしめてふにゃりと笑顔になった。

たまにおかしなことを口走るけど、笑顔のミサキは可愛い。

私もミサキお薦めのシャツを買うと、収納魔法にしまう。

たまにはローブ以外を着てみるのも悪くはないだろう。


ミサキ食堂でプリンを食べていると、ミサキが新しい料理を作るので味見をしないかと言ってきた。

もちろん私の答えは決まっていた。

「食べてみたいな、どんなお菓子？」

「お菓子じゃなくておかずかな。このあたりでも揚げ物はあるよね。油で肉を揚げた料理なんだ。エリーちゃんに出す前に、誰かに味見してもらいたかったんだ」

「へぇ、まあ、夕食には少し早いけど、食べてみたいかな」

「わかった。ちょっと待っててね」

ミサキは厨房で冷蔵庫から材料を取り出すと、大きな豚肉の塊から厚めに肉を切り取った。

同時に大きなフライパンに油をたくさん入れて火を付ける。

「随分と油を使う料理なんだね」

「油で揚げるからね」

ボウルに卵を割り入れてそれをかき混ぜたミサキは、大きな平たい皿と下ろし金を取り出し、パンを摺り下ろしはじめる。

「パンを摺り下ろす料理って珍しいね。パン粥にでもするの？」

「あー、見てればわかるよ」

脂身と赤身の間に切り込みを入れたミサキは、肉に塩胡椒をすり込み、小麦粉をまぶすとそれを卵液に浸し、パンを摺り下ろした皿に置いて、表面に擦ったパンを付ける。

そこにさらに小麦粉と卵、パンの粉を付けたミサキは、ひとつまみのパンの粉を油の中に落とした。

チュン、という音とともに、油の中でパンの粉が躍る。

「凄い熱そうだね」

「温度が大事なんだ……そろそろかな」

ミサキはパンの粉をまとった肉を油の中にそっと沈めると、二本の棒を片手で使って器用に肉を油の中に押し込む。パチパチジジリジリという弾けるような音が響く。

「ミサキ、たまにそういうの使うけど、器用だよね。二本の棒を片手で扱って指が攣ったりしないの？」

虎のゴーレムの監視をしたときにも、ミサキは料理で棒を使っていた。

パスタをかき混ぜたりするための道具だと思っていたけれど、ミサキの手にかかると、実に器用に物を挟んで持ち上げたりする。

そんな複雑な指の動きを見ていると、手が痛くなりそうだった。

「お箸のこと？　日本人なら誰でもこれくらいはできるよ？」

ミサキは二本の棒を持ち上げると、カチャカチャと先端を動かしてみせた。

そして、棒を使って油の中の肉をひっくり返す。

「色合いはいい感じかな……フェルはカラシとか平気？」

「辛いのも好きだよ」

「なら、味付けはコティアで買ってきた柑橘類の焼き塩とカラシにしとこうかな。中濃ソースとかはさすがに特殊すぎるだろうし」

ミサキは小皿に塩とカラシを用意する。

しばらくは油の音だけが厨房に響いていた。

「頃合いかな」

ミサキは油からきつね色の肉を取り出すと、それを金網が張られた平たい金属の容器に載せる。

金網から油がポトポトと滴る。

「油が落ちちゃってるけどいいの？」

「うん。揚げ物って、少し油を落としたほうが美味しいんだ」

そう言いながらミサキは二本の棒で肉を挟むと、きつね色の肉をまな板に載せ、包丁で一口サイズに切り分けていく。

そして切り分けた肉を皿に移し、塩とカラシが入った小皿とともに私の前に並べる。

「これ、表面はパンの粉？」

「そうだね。小麦と塩を付けて焼いてる串焼き肉屋があるでしょ？　その親戚みたいな料理かな」

「それじゃ、食べてみるね。感謝を」

フォークをざくりと肉に刺した私は、その手応えに驚きながらも、肉に塩とカラシを付けて口に運ぶ。

揚げ立ての肉の熱と、サクサクとした食感の中に、しっかりとした肉の歯応え。

油と表面のパンの粉で肉の中には肉汁がしっかりと閉じ込められていて、噛みしめるたびにあふれてくる。

「……ミサキ、これ凄く美味しいよ」

「ありがと。前に宿で揚げたチーズを食べたことがあるから、揚げ物自体はこのあたりにもあるよね？」

「油で揚げる料理は昔からあるけど、油が高いから普通の店じゃあんまり出せないかな。それにこのサクサクした食感、こんなの初めて食べたよ」

「あー、確かにパン粉を料理に使うのは珍しいかもね」

「古いパンを料理に使うことはあるけど、こんなに美味しいのは初めてだよ」

是非ともミサキ食堂のメニューに加えてほしい。

肉を口に運びながら私が頼むと、ミサキは苦笑した。

「この料理は油をやたらと使うからね。やるなら専門店にでもしないと儲けが出ないと思うよ」

確かに油は高価だ。ミサキが使った油は透き通っていたし、おかしな匂いもしなかった。そんな油を大量に使っていたら、あっという間に破産してしまうだろう。

「そっかぁ……ミサキの手料理が食べられるエリーちゃんが羨ましいよ」

私は最後の一切れに塩とカラシを付けると、大事に味わうように噛みしめるのだった。


翌日もミサキは広場でベンチに座ってぼんやりしていた。

どうやら人間観察とやらがよほど楽しいらしい。

ベンチに座るミサキを眺めながら、交換した魔素切れの魔道具に魔素を込めていく。

と、不意にミサキがベンチから下り、後ろを向いてしゃがみ込んだ。

なにをしているのかと思えば、ミサキはベンチのそばにいる猫に手を伸ばしている。

茶トラの猫はミサキの手をかわすと、ひょいとベンチの上に乗ってリラックスしたように寝転がる。なかなかにふてぶてしい顔つきの猫は、尻尾をパタリと揺らすと姿勢を変えてミサキのほうに視線を流す。

ミサキは収納魔法からなにかを取り出し、それを猫のそばに置いた。私の見間違いでなければ湖のほうで獲れる魚を干したものに見える。割と高価なはずなんだけど、アレ。

猫は寝転がったままミサキが差し出した魚に齧り付くが、寝たままでは食べにくかったのか、すぐに姿勢を変えてじっくりと魚に集中しはじめる。その猫の背中をミサキの手が撫でる。

人慣れしているようで、ミサキの手から逃げることなく魚を堪能する猫。そんな猫を撫でながら、ミサキの表情はとろけそうだった。

魚を食べ終わった猫は、ベンチから下りると、ミサキの足に体を擦り付けるようにしてから、尻尾をピンと立て、ゆっくりと広場を横切っていく。
猫を見送ったミサキは、再びベンチの上で周囲の様子を眺めはじめる。
なるほど、ミサキは猫が好きなんだ。
「今度、猫が集まる路地とか教えてあげよう」
喜んでくれるといいけど。
私はベンチに座るミサキを観察しながら魔道具の魔素充填を再開した。

Special

キャラクターデザイン公開

life.03

Illustration : shimano

『ファンタジーをほとんど知らない女子高生による異世界転移生活』で活躍するキャラクターたちのデザインラフ画を特別公開します！

マルセラ・オリファント

王都にある神殿のシスターで、“春告の巫女”に選ばれた美咲の世話係も務める。生真面目な性格で、いつも優しい笑みを浮かべている。

アンナ

ミストの町の傭兵で、美咲の友人のひとり。無口だが真面目。回復魔法に関心を持ち、小川に師事する。

マリア

狐の獣人。傭兵をしながら、ひとり娘のエリーを育てている。ミストの町に来るまでは、旅暮らしをしていた。

エリー

狐の獣人。マリアの娘で、素直で明るい女の子。おかあさん大好き。可愛らしい言動で、周囲を和ませている。

あとがき

コウです。三巻です。二巻からあまりお待たせせずにお届けできていたらよいのですが。

内容について少しだけ触れてしまいますので、あとがきは最後にお読みいただけると幸いです。

三巻では回復魔法が登場します。ファンタジー定番の魔法ではありますが、この世界にはどういうわけか回復魔法がありません。なぜ存在しないのかについては本編をお読みいただくとしまして。

子供の頃からロボット三原則とか好きでしたので、三原則は少しやりすぎたかもとは思っています。調子に乗りました。反省はしていますが後悔はしていません。

ご存じの方もいらっしゃるかもしれませんが、本作、漫画になってWEBで公開されております。

漫画は読むばかりで、ネームの見方もわからず、游紗吹香さんにいろいろお任せして……いえ、まあ、伏線があちこちにあるお話なので、たくさん我が儘を言わせていただき、ご迷惑をおかけしております。游紗吹香さん、ありがとうございます。

一巻が出るとき、shimanoさんの絵を見て感動しましたが、自作が絵になるのって本当に作者冥利に尽きます。表紙と口絵と挿絵だけでも嬉しいのに、漫画になったら絵がたくさん（喜びで語彙を失っています）です。雪の日のワンコの如く、喜び庭駆け巡る思いです。

さて、WEBと漫画の両方を読んだという方からWEBのほうでお問い合わせをいただきました。

一巻冒頭、白の樹海で、美咲が包丁ばらまいて白狼撃退しますが、魔剣か魔法でないと毛皮を切り裂けない白狼になぜ包丁が刺さったのか、と。一応、これは伏線です。

魔剣は魔素の影響を受けないため、魔物に有効な武器となります。そして、美咲が呼んだヘッドランプをもらうときにフェルが「魔剣の親戚ってくらいに魔素の影響を受けていない」と言っています。これがヒントです。一巻の小川の台詞にもご注目ください（ほぼ答え言っちゃってますね）。

では、恒例の答え合わせです。

美咲が神殿で「ロボットと地球人のファーストコンタクト」の話を読んでいますが、これはジェイムズ・P・ホーガン氏の『造物主の掟』です。ロボット（?）の設定が秀逸です。

同じく美咲が「不死人たちが地球から脱出するSF」を読んでいますが、これは、ロバート・A・ハインライン氏の『メトセラの子ら』。とても古い作品ですが、私の原点のひとつです。

雨の日に茜に頼まれて呼び出した「宇宙のゴミ処理屋さんの話」の漫画は幸村誠先生の『プラネテス』。アニメ化もされていますね。こちらも何度も読み返した名作です。その隣で美咲が読んでいるのは小川一水先生の『第六大陸』。未読の方には強くお薦めしたい作品です。

それでは謝辞を。

ネットで応援や感想をくださった皆様、力尽きずに頑張れているのは皆様のお陰です。

メールが行方不明になりがちな私を見捨てず、多くのご指摘をくださった担当編集のYさん。いつもご指摘ありがとうございます。もやの向こうの世界に形を与えてくださったイラストレーターのshimano様、今回も新キャラに形をくださりありがとうございます。理屈っぽい小説に漫画として形を与えてくださった游紗吹香さん、たくさんの注文にご対応くださりありがとうございます。

そして本書を手に取ってくださった皆様に最大の感謝を。

コウ

ファンタジーをほとんど知らない女子高生による異世界転移生活 3

2020年3月4日 初版発行

【著　　者】コウ

【イラスト】shimano
【編集】株式会社 桜雲社／新紀元社編集部
【デザイン・DTP】株式会社明昌堂

【発行者】福本皇祐
【発行所】株式会社新紀元社
〒101-0054　東京都千代田区神田錦町1-7　錦町一丁目ビル2F
TEL 03-3219-0921 ／ FAX 03-3219-0922
http://www.shinkigensha.co.jp/
郵便振替　00110-4-27618

【印刷・製本】株式会社リーブルテック

ISBN978-4-7753-1807-2

※本書は、「小説家になろう」(http://syosetu.com/) に掲載されていたものを、改稿のうえ書籍化したものです。